Malcolm Greenhalgh

# SÜSSWASSER FISCHE

Malcolm Greenhalgh

# SÜSSWASSER FISCHE

Der praktische
Taschenführer
für Angler

# Inhalt

Vorbemerkung 6

Fischarten 7

Verbreitung europäischer Süßwasserfische 8

Fischgesellschaften der Flüsse 10

Fischgesellschaften der Seen 12

Fischgesellschaften der Kanäle und Gräben 14

Umweltschutzprobleme 16

Fischbestimmung 20

Bestimmung von Cypriniden 22

Familie Petromyzontidae (Neunaugen) 24

Familie Acipenseridae (Störe) 32

Familie Clupeidae (Heringe) 36

Familie Anguillidae (Aale) 42

Familie Esocidae (Hechte) 44

Familie Umbridae (Hundsfische) 46

Familie Salmonidae (Lachse) 48

Familie Coregonidae (Renken) 64

Familie Thymallidae (Äschen) 68

Familie Osmeridae (Stinte) 70

Familie Cyprinidae (Karpfenfische) 72

Familie Balitoridae (Plattschmerlen) 148

Familie Cobitidae (Schmerlen) 150

Familie Siluridae (Welse) 154

Familie Ictaluridae (Zwergwelse) 157

Familie Gadidae (Dorschfische) 158

Familie Gasterosteidae (Stichlinge) 160

Familie Cottidae (Groppen) 164

Familie Centrarchidae (Sonnenbarsche) 166

Familie Percidae (Barsche) 168

Familie Blenniidae (Schleimfische) 180

Familie Gobiidae (Grundeln) 181

Familie Pleuronectidae (Schollen) 184

Glossar 186

Register 188

# Vorbemerkung

Dieses Buch ist ein Taschenführer zur Bestimmung von Fischarten, die in europäischen Süßwasserlebensräumen vorkommen. Nachdem ich viele Jahre mit Angelrute und -schnur verbracht hatte, begann ich 1986, mich intensiv mit europäischen Süßwasserfischen zu befassen: wie man sie bestimmt, ihr Wachstum und ihre Populationen, aber auch wie sie sich vermehren, wovon sie sich ernähren und andere Aspekte ihres Verhaltens.

Angler, die aufmerksam beobachten, entdecken mit Erstaunen Fischarten, die sie niemals in den Gewässern vermutet hätten, in denen sie seit langem fischen: Bachneunaugen, Schmerlen und vielleicht eine riesige Anzahl von Groppen. Mein Wissensdurst erstreckte sich auch auf die Suche nach Literatur sowie auf einen ausführlichen Austausch mit anderen Anglern und Kennern des Fischverhaltens.

Die Quintessenz all meiner Fischbeobachtungen wurde 1999 von dem bekannten englischen Verlag Mitchell Beazley unter dem Titel »Freshwater Fish« veröffentlicht. Dieses Buch beschreibt nicht nur alle europäischen Süßwasserfischarten, sondern schließt auch eine detaillierte Zusammenfassung des Brutverhaltens sowie Aussagen über Lebenszyklus, Nahrung, Fressverhalten, Lebenserwartung, Wachstum, Verbreitung und Lebensräume der meisten Arten ein. Dazu kommen Anmerkungen zu Populationen sowie zum Schutzstatus jeder Art. Die meisten Angler und Naturforscher wissen nämlich nicht, dass über ein Viertel der europäischen Süßwasserfische gefährdet sind!

Als umfangreiches Lehrbuch war »Freshwater Fish« für eine Verwendung im Freiland allerdings ungeeignet. Deshalb freute ich mich, als der Verlag mit der Idee an mich herantrat, einen ergänzenden Taschenführer zu schreiben, der buchstäblich in jede Tasche passt und zur Bestimmung von Fischen direkt vor Ort am Wasser genutzt werden kann. Leider erlaubt es der hier zur Verfügung stehende Platz nicht, auch das Verhalten von Fischen zu beschreiben. Auch ist es nicht möglich, über die Bestimmung von ausschließlich lokal vorkommenden und kleineren Spezies oder unsicheren Arten (siehe S. 7) zu berichten. Wer sich dafür interessiert, dem sei die Lektüre eines umfassenden größeren Nachschlagewerks empfohlen.

*Malcolm Greenhalgh*

# Fischarten

Im 19. Jahrhundert unterteilten Naturwissenschaftler viele Fischarten in eine Fülle so genannter getrennter Arten. Zum Beispiel splittete H. G. Seeley im Jahr 1886 das, was wir heute als Bachforelle bezeichnen, in 26 getrennte europäische Spezies auf. In der ersten Hälfte des 20. Jahrhunderts kamen die »Aufsplitter« dann aus der Mode, und die »Zusammenfasser« traten auf den Plan. Sie verlangten eine abgesicherte wissenschaftliche Basis, bevor sie eine Aufsplittung von Arten in 2 oder mehr akzeptieren würden. Was ein »Aufsplitter« für ausreichend erachtete, um anhand einer Fischpopulation eine Art zu bestimmen – nämlich Farbunterschiede und vielleicht eine kleine Formvariabilität einer Flosse oder die Anzahl von Stachel- und Gliederstrahlen in einer Flosse –, war für den »Zusammenfasser« einfach eine natürliche Variation innerhalb ein und derselben. So gab es in den 60er-Jahren des letzten Jahrhunderts ein weithin akzeptiertes »Minimalisten«-Verzeichnis der europäischen Süßwasserfische.

Hauptsächlich ausgelöst durch eine Neubeurteilung, die einige Änderungen bewirkte, kam gegen Ende des 20. Jahrhunderts das Splitting erneut in Mode, allerdings nicht der Änderungen an sich wegen, sondern um die Kosten für die Forschung zu rechtfertigen. So hatte Seeley im Jahr 1886 etwa 6 Arten des Adriatischen Hasels unterschieden, nämlich *Leuciscus svallice*, *L. illyricus*, *L. ukliva*, *L. polylepis*, *L. tursskyi* und *L. microlepis*, und dies allein auf Basis unterschiedlicher Schuppenzahlen entlang der Seitenlinie. Als ich mit meinen Studien begann, waren sie alle zu 1 Art (*Leuciscus svallice*) vereint worden (siehe S. 84). Seit einigen Jahren werden nun jedoch abermals Versuche unternommen, das Artensplitting von 1886 wiederaufersteben zu lassen.

Dies ist meiner Ansicht nach der falsche Weg. Das Herumdoktern an den Artnamen mag eine intellektuelle Genugtuung sein und die, die an diesem Spiel teilhaben, mit akademischem Ruhm ausstatten. Denjenigen Naturforschern aber, die auf etablierte Artnamen in der Praxis angewiesen sind, erweist der Trend zum Splitting – der übrigens bei den meisten Pflanzen- und Tiergruppen ebenso wie bei den Fischen vonstatten geht – einen überaus schlechten Dienst.

Legende
- Meeresspiegelniveau vor 17 000 Jahren
- Permanente Eis- und Schneedecke
- Tundra oder tundrenähnliche Vegetation
- Steppenvegetation
- Rückzugsgebiete

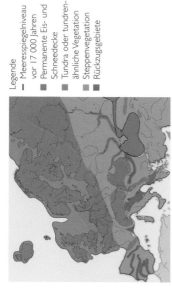

# Verbreitung europäischer Süßwasserfische

Die Donau weist 79 einheimische Fischarten auf, ganz Island dagegen nur 6. In Frankreich und Deutschland kommen 53 bzw. 59 einheimische Spezies vor, in Südostengland sind es nur 42 und in Schottland 17. Was ist der Grund?

Während der letzten großen Eiszeit vor rund 15 000 Jahren war der größte Teil des europäischen Kontinents mit Schnee und Eis bedeckt. Die meisten der heutigen Seen und Flüsse wiesen keinen Fischbestand auf. Fischpopulationen konzentrierten sich auf 5 Hauptverbreitungsgebiete: die Iberische Halbinsel, das Rhône-Tal in Südfrankreich, das Po-Tal in Norditalien einschließlich des trockengefallenen Adriatischen Meeres, Nordwestgriechenland sowie die Donau und andere Flüsse rund um das Schwarze Meer.

Als das Eis schmolz, hinterließ es klare Seen und Flüsse, die für Fische bewohnbar wurden – sofern sie erreichbar waren, denn bekanntermaßen können Fische mit Ausnahme des Aals (siehe S. 42 f.) trockenes

Europa auf dem Höhepunkt der Vereisung vor 17 000 Jahren. Große Teile des Kontinents waren von Schnee und Eis bedeckt. Süßwasserfische auf eiszeitliche Rückzugsgebiete beschränkt. In diesen Gebieten entwickelten sich viele der Arten und Unterarten, die wir heute kennen. Und von diesen Enklaven ausgehend, besiedelten die Fische nach Ende der Eiszeit das restliche Europa.

Land nicht überqueren. Einige Süßwasserfische können indes im Salzwasser leben. Neunaugen, Aal, Lachs, Bachforelle, Wandersaibling, Renke, Stint, Stichlinge, Seebarsch, Meeräschen, Schleimfische und Grundeln waren damit in der Lage, die eisfreien Flüsse sowie Seen im

Flusseinzugsgebiet zu besiedeln. Viele hoch gelegene Bergseen und Ströme blieben frei von Fischen.

Am Ende der großen Schmelze vor über 10000 Jahren gab es weit mehr Süßwasserlebensraum als heute. Zudem war der Meeresspiegel niedriger, und heute vom Meer getrennte Gebiete waren über Festland und Süßwasserseen und -flüsse verbunden: Südostgroßbritannien beispielsweise mit dem Rhein sowie Schweden und Finnland mit Deutschland und Polen. So breiteten sich Fische aus den Rückzugsgebieten aus.

Fischarten, die im iberischen Rückzugsgebiet überlebt hatten, wurden am Vordringen nach Frankreich und weiter nach Osten durch die Gebirgskette der Pyrenäen, durch die es keine Süßwasserpassage gab, gehindert. Daher findet man einige Arten (z. B. den Escalo, S. 118) sowie die Iberische und Portugiesische Barbe, S. 93) ausschließlich auf der Iberischen Halbinsel. Auch umgekehrt konnten nur wenige Süßwasserfischarten von Frankreich nach Spanien gelangen.

Auf ähnliche Weise wanderten verschiedene Arten aus Deutschland nach Südostgroßbritannien, bevor sich der Ärmelkanal ausbildete, sowie von Deutschland und Polen nach Finnland und Schweden, bevor sich das Ostseebecken füllte. Aber die gleichen Arten (u. a. Rotauge, Döbel, Brachsen, Hecht) waren nicht in der Lage, nach Nordwestgroßbritannien und Irland, nach Island oder nach Nordwestnorwegen vorzudringen, weil es keinen Süßwasserweg durch das Ostseebecken gab. Für einige Spezies war es für ein Durchkommen zu spät, als das Meer den Süßwasserweg überschwemmte. Somit sind Aland, Moderlieschen, Bitterling, Rapfen und Nase auf einer Seite des Kanals, nämlich in Frankreich, Belgien, Holland und Deutschland zu Hause, nicht aber in England.

Im letzten Jahrtausend beeinflusste der Mensch die natürliche Verbreitung stark. Fischarten wurden in Gebiete transportiert, die sie niemals auf natürliche Weise erreicht hätten. Karpfen gelangten nach Westeuropa, Hecht und Barsch nach Nordwestgroßbritannien und Irland, Forellen von Niederungsflüssen und -seen in Bergseen. Die Regenbogenforelle und der Bachsaibling sind 2 aus Nordamerika eingeführte Arten.

Ähnliche Importe finden fortwährend statt. Heute wird beispielsweise der asiatische Graskarpfen (Ctenopharyngodon idella) gezüchtet und in Seen und Flüsse eingesetzt.

# Fischgesellschaften der Flüsse

Die meisten Flüsse entspringen hoch im Gebirge und fließen hinab zum Meer. Auf ihrem Weg verändert sich ihr Charakter und damit auch ihre Fischgesellschaft.

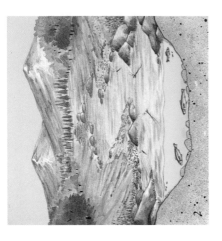

### 1 Gebirgsbach:
Turbulentes Wasser und Bachbett mit instabilen Felsblöcken; Wasser mit wenigen Pflanzennährstoffen; wenige Wasserpflanzen.

**Forellen-Region:** Bachforelle dominiert mit Äsche; Groppe, Junglachs und Elritze gehören ebenfalls zur Fischgesellschaft.

### 2 Flussoberlauf:
Wasser weniger turbulent; Flussbett mit instabilem Kies an tieferen Stellen der Meanderschlingen, aber weniger standfeste Felsblöcke im seichten Wasser; zunehmende Nährstoffgehalte; einige Wasserpflanzen.

**Äschen-Region:** Äsche dominiert mit Bachforelle; Junglachs, Elritze, Nase, Döbel, Hasel, Groppe, Bachschmerle und Bachneunauge bilden die Fischgesellschaft.

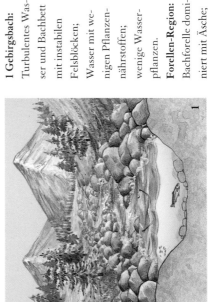

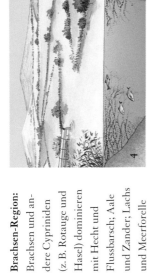

**3 Flussmittellauf:** Wasser weniger turbulent; Flussbett mit standfestem Sand, Schlamm oder Feinkies in Gumpen und verfestigtem Kies mit Geröllblöcken

**Brachsen-Region:** Brachsen und andere Cypriniden (z. B. Rotauge und Hasel) dominieren mit Hecht und Flussbarsch; Aale und Zander; Lachs und Meerforelle ziehen durch. An

an seichten Stellen; Zunahme der Nährstoffgehalte und Wasserpflanzen.

**Barben-Region:** Barbe und Döbel dominieren; weniger häufig Bachforelle, Äsche, Elritze, Nase, Hasel, Hecht, Aal, Bachschmerle und Neunaugen.

**4 Flussunterlauf:** Keine Wasserturbulenz; Flussbett mit standfestem Schlamm oder Kies; Zunahme der Nährstoffgehalte und üppiges Wasserpflanzenwachstum.

die an die Brachsen-Region schließt sich die Kaulbarsch-Flunder-Region an, die zum Brackwasserbereich der Flussmündungen überleitet.

## 5 Flussmündung

Der Fluss mündet ins Meer mit seinem Ästuar. Einige Süßwasserarten können sich im Ästuar ernähren (z. B. Forelle, Zährte, Ziege); einige marine Spezies können in die Flussmündung aufsteigen (Flunder); andere Arten wandern durch die Flussmündung zwischen Nahrungs- und Laichgebieten auf und ab (Meerneunauge, Lachs).

# Fischgesellschaften der Seen

Die Größe stehender Gewässer reicht von kleinen Weihern bis zu riesigen Binnenmeeren, in der Tiefe von flachen, verschilften Tümpeln bis zu Talseen mit über 100 m Tiefe. Das Prinzip der Seenentwicklung ist jedoch allen gemeinsam.

**1.** Je mehr Pflanzennährstoffe, desto mehr Pflanzenwachstum; Letzteres schließt sowohl die im Boden wurzelnden Wasserpflanzen als auch die im offenen Wasser treibenden, planktischen Algen ein.

**2.** Je größer das Wachstum planktischer Algen, desto geringer die Eindringtiefe des Lichtes ins Wasser.

**3.** Pflanzen benötigen mehr Licht zum Wachsen als planktische Algen; je geringer die Tiefe des Lichteinfalls, desto kleiner ist folglich die Zone, in der bewurzelte Pflanzen wachsen können.

**4.** Je größer das Pflanzenwachstum, desto höher ist die Zahl an Wirbellosen und desto breiter auch das Nahrungsangebot für Fische.

**5.** Mit wenigen Ausnahmen (z.B. Renken in oligotrophen Seen) findet man die meisten Fische in flacheren Seebereichen.

## Oligotropher See

Dieser Seetyp ist durch einen Felsgrund, wenige Nährstoffe, spärliche Vegetation, große Lichteinfalltiefe und kleine Fischbevölkerungen gekennzeichnet. Solche Seen trifft man in Gebirgsregionen mit wenigen menschlichen Siedlungen und geringer landwirtschaftlicher Nutzung an. Aufgrund des geringen Pflanzenlebens kommen nur magere Populationen an pflanzenfressenden Wirbellosen (wie Eintagsfliegen) vor. Als Ergebnis findet man kleine Populationen von langsam wachsenden Fischen. Forellen und Saiblinge oder Renken dominieren, weiterhin kommen Elritze und Aal vor.

## Eutropher See

Dieser zweite Seetyp besitzt üblicherweise Schlamm- oder Sandgrund, hohes Nährstoffangebot, üppiges Pflanzenwachstum, eine sehr flache Lichtzone und große Fischpopulationen. Die organismenreichsten eutrophen Seen liegen im Tiefland, üblicherweise von intensiv bebautem Land umgeben, in der Nähe von Städten und Großstädten. Cypriniden dominieren, dazu kommen Aal, Hecht, Barsch, Zander, Wels und Stichlinge.

Alle Seetypen können durch Zunahme der menschlichen Bevölkerung im Einzugsgebiet und durch intensivere Landwirtschaft, die dem Wasser Nährstoffe zuführen, ertragreicher werden. Im Laufe des 20. Jahrhunderts wandelten sich einige oligotrophe Seen zu mesotrophen und einige mesotrophe zu eutrophen Seen. Dadurch veränderten sich auch viele Fischgesellschaften.

**Eutropher See**
Diese Seen weisen Sand- oder Schlammgrund, üppige Pflanzenwelt, eine sehr flache lichtdurchflutete Zone und enorme Fischpopulationen auf.

Es gibt noch einen mittleren Rang hinsichtlich der Seeproduktivität, den mesotrophen See. Solche Seen sind im Tiefland mit geringerer landwirtschaftlicher Bewirtschaftung und fehlenden Großstädten und Städten in der Umgebung zu finden. Sie können das breiteste Spektrum an Fischarten ernähren. Wegen der größeren Produktivität als bei oligotrophen Seen wachsen Bachforellen hier schnell; wegen der geringeren Produktivität verglichen mit eutrophen Seen neigen Cypriniden dazu, langsamer zu wachsen.

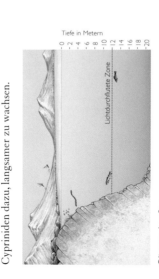

**Oligotropher See**
Dieser Seetyp besitzt charakteristischerweise felsigen Grund, spärliche Vegetation, große Lichteintiefe und kleine Fischpopulationen.

# Fischgesellschaften der Kanäle und Gräben

Kanäle sind vom Menschen für Schiffe und Lastkähne geschaffene Wasserwege, werden heute jedoch zunehmend auch für die Freizeitgestaltung (Angeln, Boot fahren und Wandern) genutzt. Als Gräben bezeichnet man tiefe Entwässerungskanäle, die in Niederungsgebieten angelegt wurden, um Marschland in Ackerland umzuwandeln.

Kanäle haben üblicherweise auf mindestens einer Seite einen seichten Randbereich, aber mit einem Abfall zum tiefen Bootskanal. Die Untiefen sind gewöhnlich reichlich mit Wasserpflanzen bewachsen, die sich bis in den tiefen Kanalbereich ausdehnen, der im Regelfall durch Ausbaggern frei von Vegetation gehalten wird.

Gräben werden ebenfalls normalerweise von Wasserpflanzen freigehalten, haben aber keine seichte Randzone.

Da man Kanäle und Gräben vorwiegend in Niederungsgebieten mit vielfältiger Landschaft im Umfeld findet, weist das Wasser in der Regel ein hohes Nährstoffangebot auf, das seinerseits ein üppiges Pflanzen- und Planktonwachstum bedingt. Außerdem gibt es eine Vielzahl von Wirbellosen, etwa Wasserflöhe und Hüpferlinge sowie größere Arten (Wasserasseln, Wasserläufer und Libellenlarven). Diese zählen zu den Fischnährtieren und können zu großen und schnell wachsenden Fischpopulationen führen.

Welche Fischarten in Kanälen auftreten, hängt weitestgehend davon ab, welche Spezies beim Bau in die Wasserwege eingeführt wurden, obwohl einigen Fischen auch die Besiedlung über Zuflüsse gelingt. Üblicherweise dominieren Cypriniden, darunter besonders beliebte Anglerfische wie Rotauge, Rotfeder, Brachsen, Schleie und Karpfen. Hecht und Barsch sind oft ebenfalls vertreten, manchmal gemeinsam mit dem Zander. In den letzten Jahren wurden zudem verschiedene Aquarienfischarten in die Kanäle ausgesetzt: Goldfische und Vertreter der amerikanischen Sonnenfische (Sonnenbarsch) sowie Zwergwelsarten. Aale finden in aller Regel ihren eigenen Weg zu Kanälen und Gräben.

## Kanäle

Kanäle sind oft lineare Korridore für die Wassertierwelt. Sie transportieren Wasser, Pflanzen, Insekten, Mollusken und Amphibien sowie Fische in europäische Städte und landwirtschaftlich intensiv genutzte Gebiete. Kanäle sind oft aber auch die letzte Zufluchtstätte für Wassertiere, da viele Niederungsseen und Weiher in den letzten 250 Jahren trockengelegt wurden. Schilf-, Binsen- und Riedgrasbestände bieten vereinzelten Populationen von Teich- und Schilfrohrsängern ein Refugium. Wasserhuhn und Teichhuhn fressen auf dem offenen Wasser, und Frösche, Kröten und Molche suchen den Kanal zum Laichen auf. Ein Kanal bietet also weit mehr als nur Wasser und Fische!

# Umweltschutzprobleme

Am 30. Januar 2000 liefen 95 Millionen Liter Wasser, die eine hohe Konzentration an Zyanid enthielten, in den Fluss Theiß. Die zyanidhaltigen Abwässer stammten aus einer Goldmine nahe der Stadt Baia-Mare, Rumänien. Am 13. Februar hatte das Gift flussabwärts Ungarn durchflossen und trat nahe der bosnischen Hauptstadt Belgrad in die Donau ein. Zu diesem Zeitpunkt hatte es große Teile der Tierwelt in der Theiß vernichtet. Allein in Ungarn wurden von Reinigungsteams 83 Tonnen tote Fische aus dem Fluss geholt. Auch fischfressende Vögel wie Seeadler und Reiher hatte man tot aufgefunden, und natürlich war auch die aquatische Kleinlebewelt massiv geschädigt. Einer ersten Schätzung zufolge wird es mindestens 10 Jahre dauern, bis sich die Theiß und die Donau unterhalb des Zusammenflusses erholt haben.

Der »Daily Telegraf« vom 15. Februar 2000 zitierte die Stellungnahme des australischen Minenbetreibers Esmeralda-Exploration: Der Bericht über den Unfall sei maßlos übertrieben; »verrückt spielendes Wetter« hätte die ursprüngliche Überschwemmung verursacht, und

die Überflutung des Dammes der Baia-Mare-Mine hätte nie mals die toten Fische viele Meilen flussabwärts verursachen können. Im Donausystem leben 79 einheimische Fischarten, von denen 15 speziell in der Donau und den angrenzenden Flüssen vorkommen.

Solche und ähnliche Umwelt-»Unfälle«, die immer aus Nachlässigkeit resultieren, sind in einem Europa, wo Regierungen und Industrie dem wirtschaftlichen Fortschritt größere Bedeutung beimessen als dem Umweltschutz, leider schon fast an der Tagesordnung. Wenn sich der jüngste Trend fortsetzt, dürften allein zwischen dem Schreiben dieser Zeilen und der Veröffentlichung als Buch mindestens 2 größere »Unfälle« in Zusammenhang mit einer Flussverschmutzung irgendwo in Europa aufgetreten sein.

Allerdings sind größere, katastrophale Zwischenfälle nur eine Seite der Umweltverschmutzung.

## Langzeitbelastung durch Industrie- und Siedlungsabwässer

Industriestädte produzieren Abfall, einschließlich der Abwässer der Einwohner. Seit jeher wurden Städte gerne an Flüssen nur wenig oberhalb der Flussmündung gegründet. Der Fluss diente als Abflusskanal für das Abwasser. Hinein in den Fluss, hinaus in das Meer – aus den Augen, aus dem Sinn!

Im 19. und 20. Jahrhundert litten die meisten größeren westeuropäischen Flüsse, namentlich Themse und Rhein, unter dieser permanenten Umweltverschmutzung. Folge war die Vernichtung jeglichen Fischlebens unmittelbar an und unterhalb von Verschmutzungsquellen; andere Fische (Lachs, Meerforelle, Alse, Stör und Aal) wurden am Passieren der Flussmündungen und an der Nutzung des Gesamtflusses gehindert. Das ist der Grund, weswegen der Lachs in den meisten Flüssen ausgerottet wurde, die in den Ärmelkanal, die Nordsee und die südliche Ostsee münden. Auch der Zusammenbruch der nordwesteuropäischen Alsenpopulationen ist ausschließlich auf die Verschmutzung der Flussmündungen zurückzuführen.

Glücklicherweise hat die Verbesserung in der Abwasserbehandlung die Umweltverschmutzung in vielen Flüssen reduziert, sodass Lachse am Beginn des 3. Jahrtausends wieder die Themse und den Rhein hinaufwandern – doch noch lange nicht wieder alle Flüsse.

Die Absenkung der langfristigen Umweltverschmutzung auf ein niedriges Niveau hat bei einigen Flüssen freilich eine interessante Neben-wirkung. Eine organische Belastung auf niedrigem Niveau erhöht die Produktivität in Flüssen. Die Wirbellosenpopulationen vergrößern sich und geben für die wachsenden Fischbestände – gewöhnlich Cypriniden – eine entsprechende Futtergrundlage ab. Von den 1950er- bis Mitte der 1980er-Jahre waren 2 englische Flüsse (Trent und Ribble) berühmt für große Fänge durch Angler; 30–50 kg an Döbeln, Rotaugen und anderen Arten waren nicht ungewöhnlich. Die Gewässerreinhaltemaßnahmen führten nun zu einer starken Reduktion des natürlichen Futterangebots in diesen Flüssen und lassen große Fänge der Vergangenheit angehören. Eine kleine Entschädigung für die Angler, die keine riesige Beute mehr machen können, ist, dass sich in den Flüssen weiterhin kleinere Bestände an Cypriniden halten, sowie zunehmende Populationen von Reinwasserarten wie Forelle, Lachs und Äsche.

**Belastung durch Düngemittel**

Die Europäische Union subventioniert Düngemittel, die hohe Konzentrationen an Stickstoff, Phosphat und Kalium (NPK) enthalten. So werden NPK-Dünger auf Felder gestreut, die an Flüsse und Seen grenzen, und eine große Menge gelangt in das Wasser. Als Folge davon stellt sich bei warmem, sonnigem Wetter ein massives Wachstum der wattenbildenden Alge *Cladophora* ein. *Cladophora* erstickt das Fluss- und Seebett und tötet Wirbellose (und Fischeier), die einen hohen Sauerstoffbedarf haben. Die Alge verhindert das Wachstum von Wasserpflanzen, die nützlich für den Fluss oder See sind (z. B. Wasserhahnenfuß), und fördert die Verdichtung von Kies und Felsblöcken im Flussbett.

## Versauerung

Kraftwerke in England, Polen und Deutschland produzieren Salpeter- und Schwefelsäure, die über große Schornsteine in die Atmosphäre geblasen werden. Diese Schadstoffe kommen als »Saurer Regen« zur Erde zurück und verunreinigen Flüsse und Seen in Gebieten mit hohem Niederschlag. Durch den so genannten Sauren Regen wurden in der 2. Hälfte des 20. Jahrhunderts die Fischbestände in einigen Seen und Flüssen drastisch reduziert oder komplett ausgerottet.

Filteranlagen können in Kraftwerke eingebaut werden, um säurebildende Gasemissionen zu reduzieren, aber dies wird oft als zu teuer eingeschätzt.

## Umweltverschmutzung durch Pestizide

Organohalogenverbindungen als Bestandteil landwirtschaftlich genutzter Pestizide waren verantwortlich für den Rückgang vieler Tierarten in der letzten Hälfte des 20. Jahrhunderts. Sie sind jetzt in fast ganz Europa verboten. Allerdings hat die jüngste Entwicklung von pyrethroidhaltigen Insektiziden, die zur Bekämpfung von Schafsparasiten eingesetzt werden, die Insektenpopulationen vieler Flussstrecken vernichtet und bedroht ganze Fischpopulationen.

## Stauanlagen und Wanderhindernisse

Viele Fischarten können in Fließgewässern nur überleben, wenn sie frei flussaufwärts und -abwärts wandern können. Wehre, hauptsächlich bei Wasserkraftwerken, die zur Stromgewinnung dienen, haben zum Verlust einiger Fischarten sogar in Fällen geführt, in denen die Anlage über eine entsprechende Fischtreppe verfügt.

## Fremdfischarten

Die Einführung fremder Arten stellt immer eine Gefahr für einheimische Spezies dar. Der amerikanische Moskitofisch etwa hat zum Rückgang des Spanienkärpflings beigetragen, und die Einführung des Kaulbarsches (siehe S. 170f.) in 2 britischen Seen bedroht nun dort das Überleben der Renkenpopulationen. Die Einführung von nicht einheimischen Fischen in ein Gewässer sollte als eine Form der Umweltverschmutzung eingestuft werden.

## Entwässerung

Die Trockenlegung von Küstenfeuchtgebieten entlang der Mittelmeerküste bedroht die Zahnkarpfen. Viele Populationen von Kleingewässerarten wie Sumpfelritze, Hundsfisch und Neunstachligem Stichling sind durch die Entwässerung von brachliegenden Feuchtgebieten verloren gegangen.

Die Entwässerung von feuchten Weiden und Wiesen sowie sumpfigem Hochland (um das Land »produktiver« zu machen) hat einerseits nach gewaltige Überschwemmungen nach Regenfällen, andererseits – nach langen Trockenperioden – das Absinken der Flusswasserstände auf ein gefährliches Niveau zur Folge. Einige Flüsse trocknen während solcher Phasen aus, und ihre Fischbestände gehen zugrunde.

## Wasserentnahme

Die Entnahme von Wasser – entweder mittels Brunnen aus dem Grundwasser oder über das Aufstauen von Fließgewässeroberläufen – zieht niedrige Abflüsse und Wasserstände nach sich, was wiederum die Fischbestände reduziert. In einigen Fällen sind ganze Flüsse dauerhaft ausgetrocknet.

## Ignoranz

Leider kümmern sich die europäischen Medien und die Öffentlichkeit (einschließlich vieler Umweltschützer) wenig um die Wasserlebewelt, sofern deren Niedergang sich nicht auf »putzige« Säugetiere wie Otter und Robben oder spektakuläre Vögel wie Fischadler, Eisvogel oder Reiher auswirkt. Nur wenige eingeweihte Menschen sind sich daher des überaus kritischen Zustands der europäischen Fischbestände bewusst.

Von den 174 Fischspezies, die derzeit in Europa vorkommen, sind 22 eingeführt und 152 einheimisch. Von den einheimischen Arten sind mindestens 42 gefährdet.

# Fischbestimmung

Während man viele Fischarten auf den ersten Blick identifizieren kann (z.B. Hecht und Schleie), müssen andere, nahe miteinander verwandte Spezies oft einer näheren Untersuchung unterzogen werden. Wer ein Exemplar unter Verwendung der in diesem Führer aufgeführten Beschreibungen untersucht, sollte indes in der Lage sein, sichere Bestimmungsmerkmale zu erkennen.

**Färbung:** Sie kann bei einigen Arten stark variieren. Aber einige Farbmerkmale sind für die Bestimmung nützlich (z. B. die Färbung der bauchständigen Flossen bei Saiblingen).

**Weich (Glieder-)strahlen und Stachelstrahlen:** Die Flossen werden durch gefiederte und quer geteilte Weichstrahlen (Gliederstrahlen) sowie Stachelstrahlen gestützt. Angabe der Anzahl der Stachelstrahlen in römischen, der gefiederten Weichstrahlen in arabischen Ziffern.

**Flossenansatzstellen:** Diese können beim Unterscheiden von nahe

meerraum die vordere Rückenflossenbasis ein wenig vor der vorderen Bauchflossenbasis an, während bei der einheimischen Barbe beide auf einer gedachten Linie stehen).

**Form des freien Flossenrandes:** Dieser kann gerade, konkav oder konvex sein.

**Maul und Kiefer:** Geht die Schnauzenspitze über den Unterkiefer hinaus, oder überragt der Unterkiefer die Schnauze? Ist das Maul unterständig? Erstreckt sich das Kieferende bis zum Augenrand oder über diesen hinaus? Ist die Schnauze spitz oder stumpf?

**Schuppenzahl:** Die Seitenlinienzahl gibt die Anzahl der Schuppen entlang der Seitenlinie an. Bei Salmoniden ist die Anzahl der Schuppen von der Fettflosse bis zur Seitenlinie von Bedeutung.

**Kiemen:** Für die Bestimmung einiger Arten kann es hilfreich sein, die Kiemenreusendornen zu prüfen, die auf der Innenseite der Kiemenbögen sitzen (Kiemenblättchen sitzen auf der Außenseite der

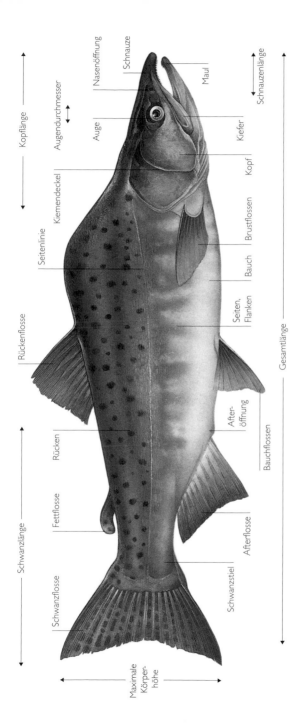

Kopflänge

Nasenöffnung

Schnauze

Maul

Schnauzenlänge

Augendurchmesser

Auge

Kiefer

Kopf

Kiemendeckel

Seitenlinie

Brustflossen

Bauch

Rückenflosse

Seiten, Flanken

Gesamtlänge

Rücken

After-öffnung

Fettflosse

Bauchflossen

Schwanzlänge

Afterflosse

Schwanzflosse

Schwanzstiel

Maximale Körper-höhe

Fischbestimmung 21

# Bestimmung von Cypriniden mit Hilfe der Schlundzähne

## Extrahieren der Schlundzähne

Man töte den Fisch schnell und nehme ihn mit nach Hause. Es ist möglich ihn einzufrieren, aber man darf ihn nicht in Konservierungsmittel legen, weil dies die Schlundzähne angreifen kann.

1. Kiemendeckel vorsichtig entfernen, ohne die Kiemen zu beschädigen.

2. Kiemen durch Abtrennen der Kiemenbögen an der unteren und oberen Ansatzstelle entfernen.

3. Die schlanken Schlundknochen (je 1 pro Halsseite) sind jetzt freigelegt. Man entfernt sie vorsichtig durch Abtrennen der Knochen oben und unten.

4. Knochen/Zähne in heißes Wasser legen und für einige Minuten ziehen lassen; darauf reinige

| Name | Schlundzähne Nummer | Schlundzähne Beschreibung |
| --- | --- | --- |
| **3 Reihen von Schlundzähnen** | | |
| Karpfen | 3 + 1 + 1 : 1 + 1 + 3 | abgeflachte Oberfläche |
| Barbe | 5 + 3 + 2 : 2 + 3 + 5 | zugespitzt mit hakenförmigen Enden |
| **2 Reihen von Schlundzähnen** | | |
| Güster | 5 + 2 : 2 + 5 | abgeflacht mit schwachem Haken |
| Schneider | 4 (oder 5) + 2 : 2 + 4 (oder 5) | schlank mit leichter Zähnung an den Enden |
| Ukelei | 5 + 2 : 2 + 5 | nahe am Ende gezähnt und hakenförmig |
| Rapfen | 5 + 3 : 3 + 5 | glatt, mit schwachem Haken |
| Gründling | 5 + 3 (oder 2) : 2 (oder 3) + 5 | zugespitzt mit schwachen Haken |
| Weißflossiger Gründling | 5 + 3 : 3 + 5 | zugespitzt und schwach hakenförmig |
| Graskarpfen | 2 + 4 (oder 5) : 4 (oder 5) + 2 | abgeflacht, mit gefalteten Seiten und Furche auf Mahlfläche |
| Hasel | 5 + 2 (selten 3) : 2 (selten 3) + 5 | glatt, mit hakenförmigen Enden |
| Adriatischer Hasel | 5 + 2 : 2 + 5 | schlank und glatt |
| Aland | 5 + 3 : 3 + 5 | glatt, zugespitzt; ein schwacher Haken am Ende ist möglich |
| Döbel | 5 + 2 : 2 + 5 | glatt oder schwach gezähnt, hakenförmiges Ende |

man sie und entferne die weichen Gewebeteile mit einer feinen Bürste.

**5.** Die Zähne werden nun wie folgt dokumentiert:

$$x1 + y1 + z1 : z2 + y2 + x2$$

x = Anzahl in der äußeren Reihe,

y = Anzahl in Mittelreihe,

z = Anzahl in der inneren Reihe

(bei 3 Zahnreihen),

1 = Schlundzähne der rechten Seite,

2 = Schlundzähne der linken Seite.

Man überprüfe beide Seiten, da bei einigen Arten die Anzahl unterschiedlich sein kann, gewöhnlich die in der 1. Reihe.

**6.** Man untersuche die Zähne mit einer Lupe. Sind die Zähne an der Spitze hakenförmig? Haben sie flache Mahlflächen? Weisen sie eine kammähnliche Zähnung auf? Vergleichen Sie den Befund mit den Angaben in der Tabelle.

| | | |
|---|---|---|
| Strömer | 4 (oder 5) + 2 : 2 + 4 (oder 5) | sehr schlank, leichte Zähnung |
| Ziege | 5 + 2 : 2 + 5 | schlank, leichter Haken am Ende |
| Elritze | 5 + 2 : 2 + 5 | sehr schlank |
| Sumpfelritze | 5 + 2 : 2 + 5 | sehr schlank und zerbrechlich |
| Rotfeder | 5 + 3 : 3 + 5 | mit kammähnlicher Zähnung |
| *1 Reihe von Schlundzähnen* | | |
| Karausche | 4 : 4 | glatt, abgeflachte Enden |
| Giebel/Goldfisch | 4 : 4 | glatt, schlank |
| Schleie | 4 (oder 5) : 4 (oder 5) | Enden oft breiter als Basis |
| Brachsen | 5 : 5 | an den Seiten abgeflacht |
| Zobel | 5 : 5 | abgeflacht |
| Zope | 5 : 5 | abgeflacht |
| Zährte | 5 : 5 | abgeflacht und messerähnlich |
| Nase | 6 : 6 | schmal und dolchähnlich |
| Südwesteuropäischer Näsling | 5 : 5 | abgeflacht und messerähnlich |
| Elritzen-Näsling | 5 : 5 | schlank und leicht abgeflacht |
| Moderlieschen | 4 (oder 5) : 4 (oder 5) | sehr fein |
| Bitterling | 5 : 5 | sehr fein |
| Rotauge | gewöhnlich 5 : 5 (gelegentlich 6) | variabel; einige können hakenförmig sein oder besitzen einen nach unten verlaufenden Grat |
| Escalo | 5 : 5 | schlank und leicht abgeflacht |
| Pigo | 5 : 5 | schlank und leicht abgeflacht |

# Meerneunauge *Petromyzon marinus*

Das Meerneunauge ist das größte unter den europäischen Neunaugen. Der dem Aal ähnliche Fisch besitzt keine Kiemendeckel und weist anstelle eines kiefergestützten Maules ein scheibenförmiges Saugmaul auf. Meerneunaugen werden häufig nach ihrer Rückkehr aus dem Meer, nach dem Ablaichen, tot oder sterbend aufgefunden. In der Fischerei geringe, im Angelsport ohne Bedeutung.

**Verbreitung:** Kola-Halbinsel und Südisland, im Süden und Westen (einschließlich Britische Inseln) bis nach Südspanien, im Osten bis nach Italien.

**Lebensraum:** Saubere Flüsse (wo Flussmündungen nicht verschmutzt sind und eine Flussverbauung nicht den Aufstieg verhindert).

**Nahrung:** Heftet sich mit dem Saugmaul an einen Wirtsfisch und ernährt sich von dessen Fleisch.

**Größe:** Meistens 50–60 cm lang, 2 kg schwer; ausnahmsweise bis zu 1 m.

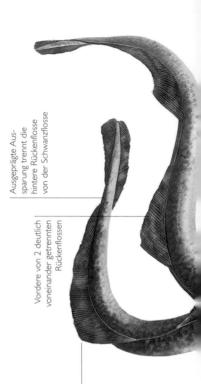

Ausgeprägte Aussparung trennt die hintere Rückenflosse von der Schwanzflosse

Vordere von 2 deutlich voneinander getrennten Rückenflossen

Hintere Rückenflosse größer als die vordere sowie die Schwanzflosse

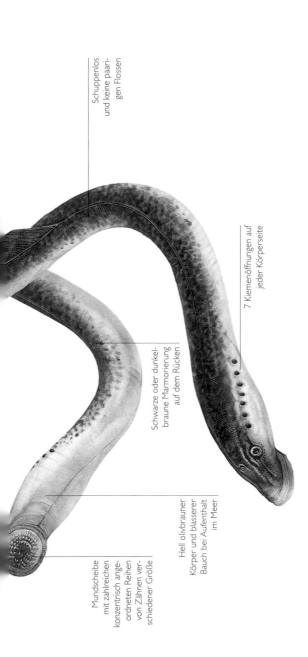

Schuppenlos und keine paarigen Flossen

Schwarze oder dunkelbraune Marmorierung auf dem Rücken

7 Kiemenöffnungen auf jeder Körperseite

Mundscheibe mit zahlreichen konzentrisch angeordneten Reihen von Zähnen verschiedener Größe

Hell olivbrauner Körper und blasserer Bauch bei Aufenthalt im Meer

# Flussneunauge *Lampetra fluviatilis*

Aalartig, jedoch fehlen Kiemendeckel und paarige Flossen; anstelle von Kiefern besitzen die Tiere ein scheibenförmiges Saugmaul. Das Flussneunauge laicht in Flüssen und wandert zur Nahrungsaufnahme und zum Heranwachsen ins Meer. Am häufigsten findet man die Tiere tot nach dem Ablaichen im späten Frühjahr oder Sommer. Fischereiliche Bedeutung früher sehr groß; als Anglerfisch unbedeutend.

**Verbreitung:** Britische Inseln (außer im hohen Norden), Süd-Fennoskandia und baltische Staaten, größter Teil Westeuropas bis nach Slowenien und Norditalien.

**Lebensraum:** Saubere unverbaute Flüsse und Flussmündungen, durch die die Neunaugen durchziehen können.

**Nahrung:** Heftet sich mit seiner glatten Saugscheibe an einen Wirtsfisch und ernährt sich von dessen Gewebeteilen und Blut.

**Größe:** Im Durchschnitt um 30 cm lang und 60 g schwer.

**Andere ähnliche Art:** Das Sibirische Neunauge (*L. japonica*) tritt ostwärts der Kola-Halbinsel auf.

Hintere von 2 deutlich voneinander getrennten Rückenflossen

Alle Flossen sind braun gefärbt

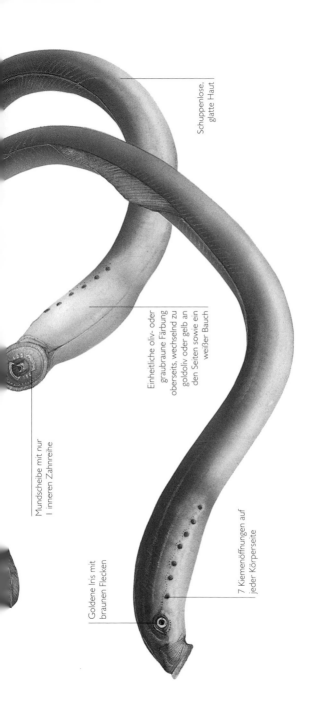

Schuppenlose, glatte Haut

Einheitliche oliv- oder graubraune Färbung oberseits, wechselnd zu goldoliv oder gelb an den Seiten sowie ein weißer Bauch

Mundscheibe mit nur 1 inneren Zahnreihe

7 Kiemenöffnungen auf jeder Körperseite

Goldene Iris mit braunen Flecken

# Bachneunauge *Lampetra planeri*

Wie bei allen Neunaugen fehlen Kiemendeckel und paarige Flossen, und anstelle eines kiefergestützten Maules besitzen sie ein scheibenförmiges Saugmaul. Das kleinste europäische Neunauge wandert weder ins Meer noch parasitiert es an anderen Fischen. Nächtliche Lebensweise; meistens in Schlamm oder feinem Kies eingegraben. Fischereilich und im Angelsport ohne Bedeutung.

**Verbreitung:** Britische Inseln, und Süd-Fennoskandia, baltische Staaten, Süd- und Norditalien. Im Osten bis zum Schwarzen Meer, im Westen bis zu den Pyrenäen.

**Lebensraum:** Saubere Bäche und kleine Flüsse.

**Nahrung:** Querderlarven der Bachneunaugen ernähren sich von Bakterien, Algen und Detritus. Erwachsene fressen nicht.

**Größe:** In der Regel zwischen 10 und 15 cm lang.

**Andere ähnliche Art:** Zanandreas Lamprete (*L. zanandrei*) kommt in den Fließgewässern vor, die in den nördlichen Teil der Adria entwässern.

Hintere Rückenflosse größer als die vordere

Mundscheibe mit nur 1 inneren Reihe von Randzähnen

Mattgelbe Seiten

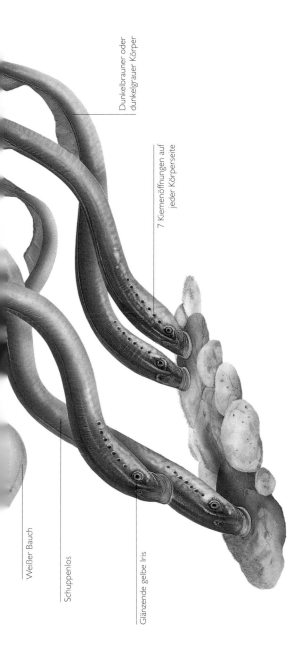

Dunkelbrauner oder
dunkelgrauer Körper

7 Kiemenöffnungen auf
jeder Körperseite

Weißer Bauch

Schuppenlos

Glänzende gelbe Iris

# Donauneunauge *Eudontomyzon danfordi*

Ein typisches Neunauge, aalähnlich, aber ohne paarige Flossen und mit einem scheibenförmigen Saugmaul anstelle von Kiefern sowie mit äußeren Kiemenöffnungen ohne Kiemendeckel. Die Donau-Lamprete verbringt ihr gesamtes Leben im Süßwasser. Man findet sie am häufigsten tot nach dem Ablaichen in seichten Nebenfließgewässern. Fischereilich ohne Bedeutung, im Angelsport ebenso.

**Verbreitung:** Donaueinzugsgebiet, hauptsächlich Nebenflüsse und -bäche.

**Lebensraum:** Saubere Fließgewässer.

**Nahrung:** Sie heften sich mit ihrer glatten Saugscheibe an einen Wirtsfisch und nehmen Blut und aufgelöstes Fleisch auf.

**Größe:** In der Regel zwischen 20 und 35 cm.

**Andere ähnliche Arten:** *E. vladykovi* (Südliches Donaueinzugsgebiet), *E. mariae* (in Flüssen an der Schwarzmeerostküste) und *E. hellenicus* (Griechenland).

Mundscheibe innen und außen bezahnt

7 Kiemenöffnungen auf jeder Körperseite

Schuppenlos und keine paarigen Flossen

Cremefarbener oder hellgelber Bauch

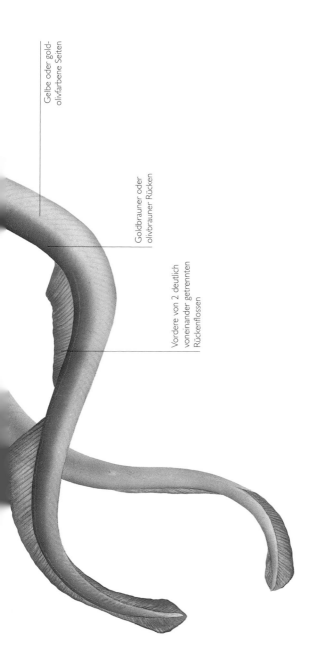

Gelbe oder gold-
olivfarbene Seiten

Goldbrauner oder
olivbrauner Rücken

Vordere von 2 deutlich
voneinander getrennten
Rückenflossen

# Stör *Acipenser sturio*

Selten gesehen, ernährt sich der Stör im Meer und wächst auch dort auf; in Flüsse begibt er sich nur zum Laichen. Reihen von Knochenschilden verteilen sich entlang des sonst schuppenlosen Körpers. Ihre enorme Größe macht Störe unverwechselbar. Die Eier des Störs werden als Kaviar gehandelt. Fischereiliche Bedeutung früher sehr groß (Kaviar), heute stark bedrohte Art.

**Verbreitung:** An den meisten Küsten Europas nachgewiesen, regelmäßig laichend nur in 3 Flüssen (Donau, Gironde, Rioni).

**Lebensraum:** Unterläufe sauberer Flüsse.

**Nahrung:** Bodenorientierter Fresser (im Meer bis zu 60 m Tiefe), ernährt sich von Garnelen, Schnecken, Muscheln, Würmern und Fischbrut.

**Größe:** Bis 3,5 m Länge, über 200 kg schwer.

**Andere ähnliche Arten:** Adriatischer Stör (*A. naccarii*), Russischer Stör (*A. guldenstaedti*), Glattdick (*A. nudiventris*), Sternhausen (*A. stellatus*) und Hausen (*Huso huso*), der im Schwarzen und Kaspischen Meer sowie in adriatischen Flusssystemen vorkommt. Einige Arten werden in Zuchtanstalten zur Kaviargewinnung gehalten.

Asymmetrische Schwanzflosse mit längerem oberen Lappen

Schuppenlos

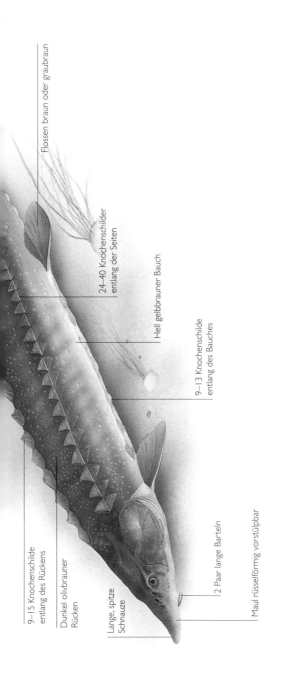

9–15 Knochenschilde
entlang des Rückens

Dunkel olivbrauner
Rücken

Lange, spitze
Schnauze

2 Paar lange Barteln

Maul rüsselförmig vorstülpbar

Flossen braun oder graubraun

24–40 Knochenschilder
entlang der Seiten

Hell gelbbrauner Bauch

9–13 Knochenschilde
entlang des Bauches

# Sterlet *Acipenser ruthenus*

Der Sterlet ist der verbreitetste Stör, der sein gesamtes Leben im Süßwasser verbringt. Seine relativ geringe Größe, gefranste Barteln, Schnauze und reichlich vorhandene Knochenschilde auf einer sonst schuppenlosen Haut unterscheiden den Sterlet sowohl vom Stör als auch von anderen Fischen, die die gleichen Flüsse bewohnen. Fischereiliche Bedeutung: sehr begehrter, beliebter Anglerfisch, teilweise jedoch ganzjährig geschützt.

**Verbreitung:** Osteuropa, besonders Flüsse, die ins Schwarze und Kaspische Meer münden; in vielen russischen Flüssen eingeführt.

**Lebensraum:** Saubere große und mittelgroße Flüsse.

**Nahrung:** Bodenorientierter Fresser, der ein breites Spektrum an Flussbett-Wirbellosen aufsaugt (u. a. Eintagsfliegen-, Köcherfliegen- und Mückenlarven, Würmer, Krebstiere).

**Größe:** Maximale Länge üblicherweise um 80 cm, Gewicht um 2,5 kg; ausnahmsweise bis zu 120 cm lang und 15 kg schwer.

Asymmetrische Schwanzflosse mit längerem oberen Lappen

Flossen braun oder olivbraun

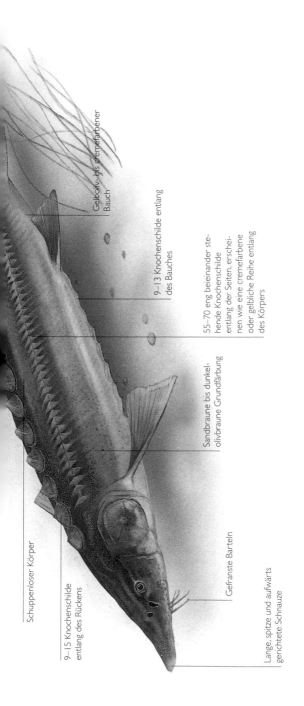

Schuppenloser Körper

9–15 Knochenschilde entlang des Rückens

Lange, spitze und aufwärts gerichtete Schnauze

Gefranste Barteln

Sandbraune bis dunkel-olivbraune Grundfärbung

55–70 eng beieinander stehende Knochenschilde entlang der Seiten, erscheinen wie eine cremefarbene oder gelbliche Reihe entlang des Körpers

9–13 Knochenschilde entlang des Bauches

Gelblich- bis cremefarbener Bauch

# Finte *Alosa fallax*

Finten sind Mitglieder der Heringsfamilie und dringen ins Süßwasser nur zum Laichen ein (dann können sie mit der Angel gefangen werden). Dünne Fettlider, die den Vorder- und den Hinterrand des Auges bedecken, sowie die Art, wie der Unterkiefer in eine Kerbe des oberen passt, sind übliche Merkmale von allen *Alosa*-Arten. Fischereilich und in Angelsport wegen des minderwertigen Fleisches wenig begehrt.

**Verbreitung:** Meere sowie Flüsse, die mit den west-europäischen Meeren verbunden sind; von Süd-schweden bis westlich von Dänemark (einschließlich der Britischen Inseln) und südlich bis zum Mittelmeer. Es gibt einige isolierte Populationen in Seen.

**Lebensraum:** Unter- und Mittellauf von Flüssen mit sauberen Flussmündungen.

**Nahrung:** Die Finte ist ein Planktonfresser, der haupt-sächlich Kleinkrebse, Würmer und Molluskenlarven aufnimmt. Seepopulationen fressen auch pelagisch lebende Insektenlarven.

**Größe:** Durchschnittslänge um 30 cm, maximal um 50 cm; Maximalgewicht 2 kg.

**Andere ähnliche Art:** Die Kaspische Sprotte (*Clupeonella cultriventris = C. delicatula*) wird manchmal im Unterlauf von Schwarzmeerzuflüssen gefunden.

Schuppenzahl entlang des Körpers: 58–70 (keine Seitenlinie)

Dunkelblauer Rücken, geht in goldfarbene Tönung an den Seiten über

Bis zu 10 dunkle Flecken entlang des Körpers, die teilweise kaum erkennbar sind

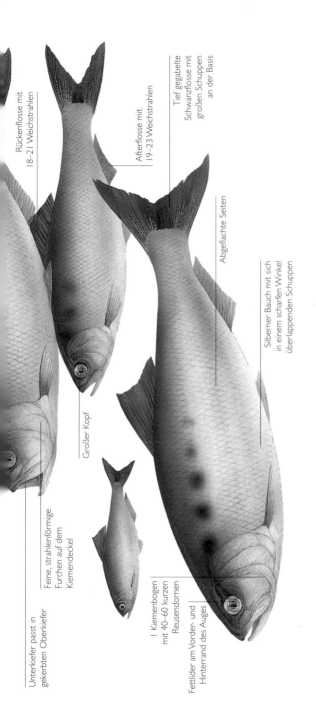

Rückenflosse mit 18–21 Weichstrahlen

Afterflosse mit 19–23 Weichstrahlen

Tief gegabelte Schwanzflosse mit großen Schuppen an der Basis

Abgeflachte Seiten

Silberner Bauch mit sich in einem scharfen Winkel überlappenden Schuppen

Großer Kopf

Unterkiefer passt in gekerbten Oberkiefer

Feine, strahlenförmige Furchen auf dem Kiemendeckel

1 Kiemenbogen mit 40–60 kurzen Reusendornen

Fettlider am Vorder- und Hinterrand des Auges

# Maifisch *Alosa alosa*

Der Maifisch ist der Finte (S. 36 f.) sehr ähnlich, und das Auftreten von nur 1 schwarzen Fleck hinter dem Kiemendeckel wird üblicherweise als ausreichend für eine Bestimmung gehalten. Allerdings zeigen einige Maifische nur 1 Fleck, andere Individuen 2. Am besten vergleicht man immer die Afterflosse und beim toten Fisch die Anzahl der Reusendornen. Fischereiliche Bedeutung früher groß, im Angelsport gering.

**Verbreitung:** Westeuropäische Meere sowie Flüsse, die in die Meere westlich von Norwegen und Dänemark münden (einschließlich der Britischen Inseln), sowie im westlichen Mittelmeer.

**Lebensraum:** Unverbaute, saubere Flüsse mit unverschmutzten Flussmündungen.

**Nahrung:** Der Maifisch ist ein Filtrierer; er nimmt das Wasser durch das Maul auf und gibt es über die Kiemen wieder ab, dabei filtern die Fische alle planktischen Tiere mit den langen Reusendornen heraus.

**Größe:** Durchschnittliche Länge um 40 cm, maximal ungefähr 60 cm, Gewicht 2,7 kg.

Große Augen mit Fettlidern am Vorder- und Hinterrand

1 einzelner; manchmal 2 dunkle Flecken hinter dem Kiemendeckel

Körper von großen Schuppen bedeckt; Schuppenzahl entlang des Körpers: 70–86 (keine Seitenlinie)

Rückenflosse mit 18–20 Weichstrahlen

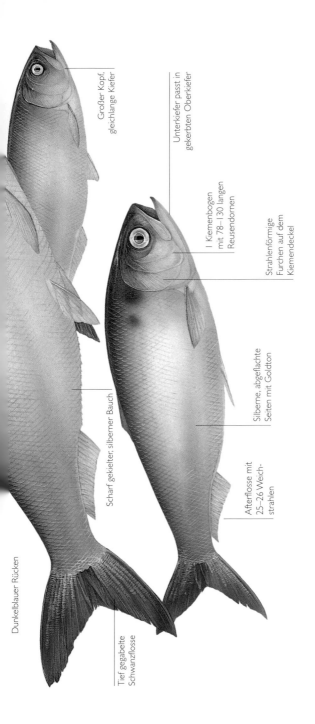

Großer Kopf, gleichlange Kiefer

Unterkiefer passt in gekerbten Oberkiefer

1 Kiemenbogen mit 78–130 langen Reusendornen

Strahlenförmige Furchen auf dem Kiemendeckel

Scharf gekielter, silberner Bauch

Silberne, abgeflachte Seiten mit Goldton

Afterflosse mit 25–26 Weich-strahlen

Dunkelblauer Rücken

Tief gegabelte Schwanzflosse

# Schwarzmeer-Maifisch *Alosa pontica*

Eine typische Alse, mit Fettlidern, die den Vorder- und Hinterrand des Auges bedecken; Oberkiefer mit Kerbe; gekielter Bauch mit gezahnten, überlappenden Schuppen. Die meisten, aber nicht alle Tiere besitzen 1 dunklen Fleck am Hinterrand des Kiemendeckels. Diese Art kommt nur im Schwarzen Meer vor. Ein begehrter Nutz- und Anglerfisch.

**Verbreitung:** Schwarzes Meer und Zuflüsse.

**Lebensraum:** Unterläufe von sauberen, unverbauten Flüssen mit unverschmutzten Flussmündungen.

**Nahrung:** Frisst kleine, pelagisch lebende Tiere (Krebstiere und kleine Fische).

**Größe:** Länge üblicherweise um 30 cm, maximal bis zu 45 cm.

**Andere ähnliche Arten:** Kaspi-Maifisch (*A. caspia*) nur im Kaspischen Meer, Volvi-Maifisch (*A. macedonica*) vom Volvisee (Griechenland) und der kleinere Kerchen-Maifisch (*A. maeotica*) aus dem Schwarzen und Asowschen Meer.

Tief gegabelte Schwanzflosse

Rückenflosse mit 16–20 Weichstrahlen

Blaugrauer Rücken

Einzelner, runder, dunkler Fleck am Rand des Kiemendeckels

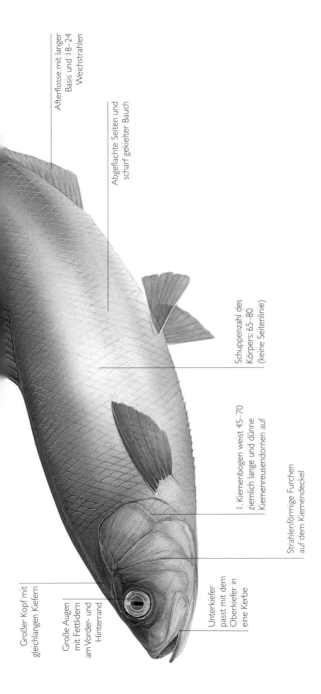

Afterflosse mit langer Basis und 18–24 Weichstrahlen

Abgeflachte Seiten und scharf gekielter Bauch

Schuppenzahl des Körpers: 65–80 (keine Seitenlinie)

1. Kiemenbogen weist 45–70 ziemlich lange und dünne Kiemenreusendornen auf

Strahlenförmige Furchen auf dem Kiemendeckel

Großer Kopf mit gleichlangen Kiefern

Große Augen mit Fettlidern am Vorder- und Hinterrand

Unterkiefer passt mit dem Oberkiefer in eine Kerbe

# Aal *Anguilla anguilla*

Aale werden im Sargasso-Meer geboren und erreichen Europa als kleine so genannte Glasaale. Hier wachsen sie heran, und dann färbt sich im Herbst der gelbe Bauch silbern. Der braune Rücken wird schwarz, und die erwachsenen Aale schwimmen über den Atlantik zum Laichen zurück. Ein wichtiger Nutzfisch und beliebter Anglerfisch.

**Verbreitung:** Ganz Europa mit Ausnahme des äußersten Ostens.

**Lebensraum:** Seen, Flüsse und Kanäle, die zugänglich sind. Obwohl sie isolierte Teiche durch Kriechen über Land besiedeln können, vermögen Aale Wehre oder hohe Wasserfälle nicht hinaufzusteigen.

**Nahrung:** Hauptsächlich nachtaktiv, nehmen sie Aas und sterbende Tiere auf; dazu erbeuten sie Wirbellose und kleine Fische.

**Größe:** Die maximale Länge schwankt üblicherweise zwischen 30 und 55 cm.

**Abbildung:** Gelbaal.

Lange, dunkel olivbraune Rücken- und Afterflossen, die beide mit der Schwanzflosse verschmelzen

Der olivbraune Rücken wird schwarz, wenn die Aale abwanderungsbereit zum Meer sind

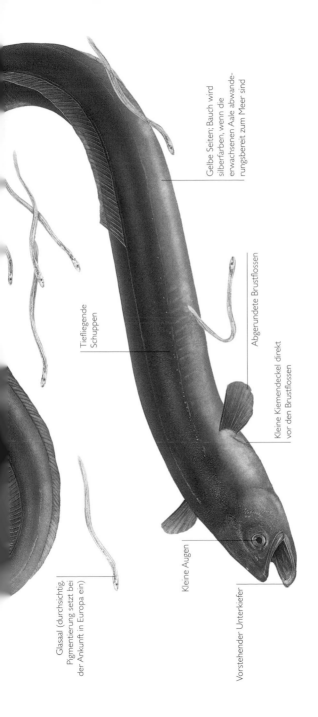

Gelbe Seiten; Bauch wird silberfarben, wenn die erwachsenen Aale abwanderungsbereit zum Meer sind

Tiefliegende Schuppen

Abgerundete Brustflossen

Kleine Kiemendeckel direkt vor den Brustflossen

Kleine Augen

Vorstehender Unterkiefer

Glasaal (durchsichtig, Pigmentierung setzt bei der Ankunft in Europa ein)

# Hecht *Esox lucius*

Der Hecht ist einer der größten Raubfische in europäischen Süßgewässern. Seine großen, kräftigen Kiefer machen es ihm möglich, relativ große Beute zu ergreifen, und seine Tarnfärbung hilft ihm, von der Beute unentdeckt im Hinterhalt zu liegen. Die Positionierung der hinteren Flossen erlaubt eine schnelle Beschleunigung. Ein wichtiger Speisefisch und sehr beliebter Anglerfisch.

**Verbreitung:** Natürlicherweise von den Pyrenäen ostwärts in vielen Teilen Europas vorkommend; in Irland, Nordwestgroßbritannien und Spanien eingeführt.

**Lebensraum:** Saubere Flüsse, Seen und Kanäle.

**Nahrung:** Kleine Fische; auch Wasservögel, Säugetiere und Amphibien. Hechte jagen oft allein, ruhen aber gern in Schwärmen.

**Größe:** Üblicherweise 50–80 cm lang, maximal 150 cm. Gewicht in Ausnahmefällen bis zu 25 kg.

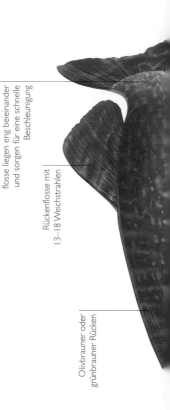

Rücken-, After- und Schwanzflosse liegen eng beieinander und sorgen für eine schnelle Beschleunigung

Rückenflosse mit 13–18 Weichstrahlen

Olivbrauner oder grünbrauner Rücken

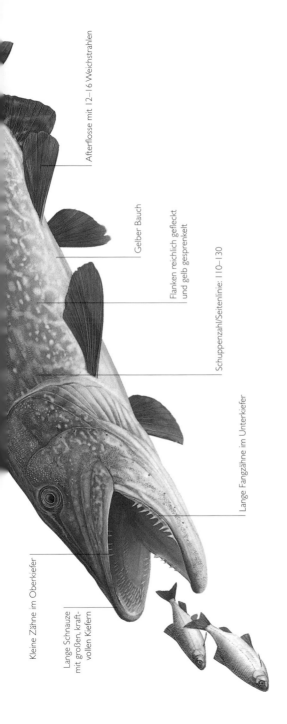

Afterflosse mit 12–16 Weichstrahlen

Gelber Bauch

Flanken reichlich gefleckt und gelb gesprenkelt

Schuppenzahl/Seitenlinie: 110–130

Lange Fangzähne im Unterkiefer

Kleine Zähne im Oberkiefer

Lange Schnauze mit großen, kraftvollen Kiefern

# Hundsfisch *Umbra krameri*

Dieser kleine, gedrungene Fisch wird selten beobachtet, weil er in sauerstoffarmen Sümpfen, Tümpeln, und Flussseitenarmen lebt, wo er üblicherweise der einzige vorkommende Fisch ist. Er ist ein Schwarmfisch und zur Tarnung im trüben Milieu graubraun gefärbt. Fischereilich und im Angelsport ohne Bedeutung.

**Verbreitung:** Donaueinzugsgebiet.

**Lebensraum:** Sehr pflanzenreiche und oft sauerstoff-dezimierte Sümpfe, Tümpel, träge Flüsse und zuge-wachsene Flussseitenarme sowie Altwasser.

**Nahrung:** Hauptsächlich Bodennahrung, einschließlich Roter Mückenlarven, Wasserasseln, Würmern, Schne-cken, Erbsenmuscheln, kleinen Libellenlarven und Wasserläufern.

**Größe:** Männchen erreichen durchschnittliche Längen von 6,5 cm, Weibchen 8,5 cm

**Andere ähnliche Art:** Der Amerikanische Hundsfisch (*U. pygmaea*) wurde in vegetationsreiche Tümpel in Frankreich, Holland und Norddeutschland eingesetzt.

Rückenflosse nach hinten versetzt mit 13–15 Weich-strahlen

Braune und gelbbraune Seiten

Olivbrauner Rücken

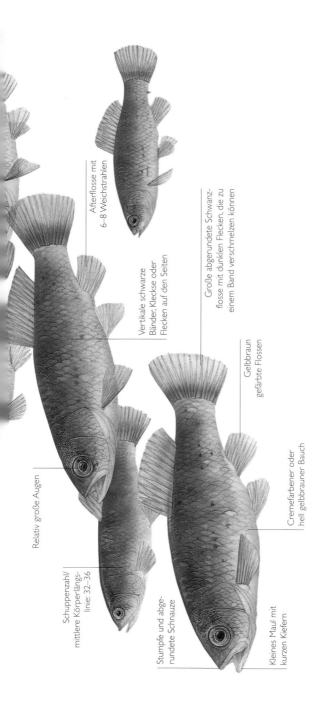

Afterflosse mit 6–8 Weichstrahlen

Vertikale schwarze Bänder, Kleckse oder Flecken auf den Seiten

Große abgerundete Schwanzflosse mit dunklen Flecken, die zu einem Band verschmelzen können

Gelbbraun gefärbte Flossen

Cremefarbener oder hell gelbbrauner Bauch

Relativ große Augen

Schuppenzahl/ mittlere Körperlängslinie: 32–36

Stumpfe und abgerundete Schnauze

Kleines Maul mit kurzen Kiefern

# Atlantischer Lachs *Salmo salar*

Der König der Fische, der Lachs, genießt als Jagdbeute unter Anglern, als Gaumenfreude bei Feinschmeckern sowie wegen seines bemerkenswerten Lebenszyklus ein hohes Ansehen. Für 1–3 Jahre bewohnt er als Jungfisch das Süßwasser, um dann als Smolt-Lachs zum Meer zu wandern. Nach 1–3 Jahren im Meer kehrt er als hell glänzender Silberlachs ins Süßwasser zurück, worauf er eine Laichfärbung erlangt (siehe Illustration).

**Verbreitung:** Nordwesteuropa von Spanien (früher Portugal) bis zum arktischen Russland, einschließlich Island und Britische Inseln.

**Lebensraum:** Saubere Flüsse sowie Seen an Flussläufen.

**Nahrung:** Junglachse fressen Wirbellose. Im Meer verspeisen Lachse kleine Fische und große Wirbellose. Auf dem Rückweg ins Süßwasser nehmen sie keine Nahrung auf.

**Größe:** Länge 50–150 cm.

**Abbildung:** Junglachs (unten links); Lachsmännchen (Vordergrund); Lachsweibchen (Hintergrund).

Schlanker
Schwanzstiel

Fettflosse

Stahlgrauer Rücken und silberne
Seiten (typisch
beim Weibchen)

Rückenflosse mit
9–12 Weichstrahlen

Gegabelte
Schwanzflosse

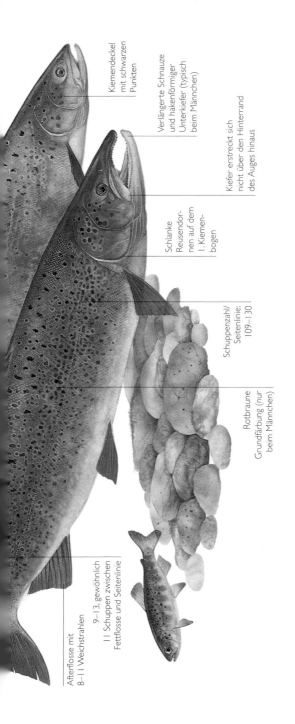

Kiemendeckel mit schwarzen Punkten

Verlängerte Schnauze und hakenförmiger Unterkiefer (typisch beim Männchen)

Kiefer erstreckt sich nicht über den Hinterrand des Auges hinaus

Schlanke Reusendornen auf dem 1. Kiemenbogen

Schuppenzahl/Seitenlinie: 109–130

Rotbraune Grundfärbung (nur beim Männchen)

Afterflosse mit 8–11 Weichstrahlen

9–13, gewöhnlich 11 Schuppen zwischen Fettflosse und Seitenlinie

# Bachforelle *Salmo trutta*

Die Fettflosse kennzeichnet diese Art als einen Vertreter der Salmoniden (Lachse). Durch den sich bis über den Hinterrand des Auges hinaus erstreckenden Oberkiefer unterscheidet sie sich vom Lachs. Auch rote und schwarze, hell umrandete, runde Flecken sind für die Bachforelle typisch. Die Bachforelle ist mit der Seeforelle und der Meerforelle genetisch identisch. Die 3 Formen unterscheiden sich jedoch im Aussehen und in der Lebensweise. Die Bachforelle lebt stationär in Fließgewässern, die Seeforelle lebt in Seen und wandert wie die im Meer lebende Meerforelle (siehe S. 52 f.) zum Ablaichen in Fließgewässer ein. Alle Formen sind beliebte Speise- und Anglerfische.

**Verbreitung:** Fast überall in Europa, zum Teil eingeführt.

**Lebensraum:** Saubere, kühle Fließgewässer und Seen.

**Nahrung:** Bachforellen fressen Wirbellose, Wasserinsekten, Fliegen; große Exemplare erbeuten auch kleine Fische.

**Größe:** Bachforellen erreichen eine Durchschnittslänge von 15–30 cm, selten bis 50 cm; Seeforellen können eine Durchschnittslänge von 40–80 cm, selten bis 140 cm und ein Gewicht von 10–15 kg, zuweilen 30 kg erreichen.

Fettflosse

Rückenflosse
mit 11–15
Weichstrahlen

Schuppenzahl/
Seitenlinie: 110–120

Gelbbraune Seiten mit vielen
schwarzen und roten,
hell umrandeten Punkten

Gelber Bauch

Brauner Rücken

Kiefer erstreckt sich über den
Hinterrand des Auges hinaus

# Meerforelle *Salmo trutta trutta*

Körperform ähnelt dem Lachs, jedoch plumper. Jungfische tragen dunkle Querbinden (wie die Lachsbrut) und rote Punkte. Ältere Exemplare mit schwarzen X-förmigen Flecken. Bei laichbereiten Exemplaren treten auch rötlichbraune Flecken auf; männliche Tiere mit Laichhaken. Zum Ablaichen steigen die Tiere aus dem Meer die Flüsse und Bäche hinauf. Die Jungfische wandern meist nach 2–4 Jahren ins Meer ab. Wegen des wohlschmeckenden Fleisches sehr begehrter Anglerfisch.

**Verbreitung:** Küsten Europas mit Nord- und Ostsee; von Nordportugal über Skandinavien bis Nordrussland.

**Lebensraum:** Jungtiere in der unteren Forellenregion und Äschenregion; Erwachsene im Meer in Küstennähe, auch vor Flussmündungen.

**Nahrung:** Jungtiere verspeisen verschiedene Wirbellose (u. a. Bachflohkrebse, Eintagsfliegen- und Steinfliegennymphen, Köcherfliegenlarven) sowie Anfluginsekten; Erwachsene fressen kleinere Fische.

**Größe:** Maximallänge bis 100 cm, 10–15 kg schwer.

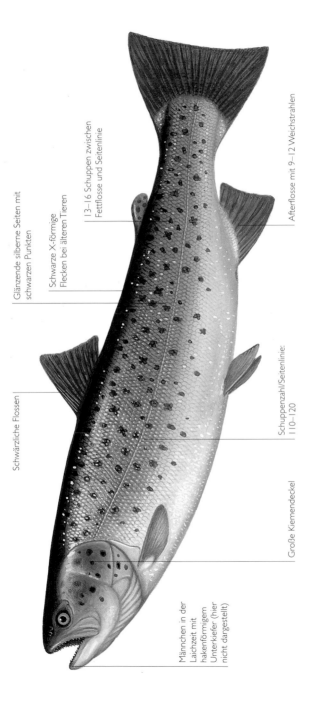

Glänzende silberne Seiten mit schwarzen Punkten

Schwarze X-förmige Flecken bei älteren Tieren

13–16 Schuppen zwischen Fettflosse und Seitenlinie

Afterflosse mit 9–12 Weichstrahlen

Schwärzliche Flossen

Schuppenzahl/Seitenlinie: 110–120

Große Kiemendeckel

Männchen in der Laichzeit mit hakenförmigem Unterkiefer (hier nicht dargestellt)

# Huchen *Hucho hucho*

Die Fettflosse und der stromlinienförmige Körperbau erleichtern die Zuordnung des Huchens zur Familie der Lachsartigen. Der Huchen ist allerdings ein besonderer Salmonide, der eine lokal begrenzte Verbreitung aufweist und hinsichtlich der Nahrung spezialisiert ist; er kann zu einer enormen Größe heranwachsen. Fischereiliche Bedeutung und Angelsport: geringe Bestände, vorzügliches Fleisch. Sein Überleben ist weitestgehend das Resultat seiner Beliebtheit als Anglerfisch.

**Verbreitung:** Donau und ihre Zuflüsse, dort haben Verschmutzung und Stauhaltung die Bestände reduziert. In andere osteuropäische Flüsse eingesetzt; dort werden die Bestände durch Brutanstalten aufrechterhalten.

**Lebensraum:** Saubere Flüsse.

**Nahrung:** Der Huchen ist ein Fischfresser, kleinere Exemplare nehmen Arten wie Elritzen, größere erbeuten Döbel und Äschen. Huchen neigen zum Einzelgängertum und sind dämmerungsaktiv.

**Größe:** Heute erreichen die meisten Exemplare eine Maximallänge von 75 cm und ein Gewicht von 3 kg. In der Vergangenheit wurde über Fische von 1,8 m und 70 kg berichtet.

15–17 Schuppen zwischen Fettflosse und Seitenlinie

Grauschwarze oder braunschwarze Schwanzflosse

Silberne Seiten, oft mit einem kupfer- bis rosafarbenen Schimmer

Grauschwarze oder braunschwarze Rückenflosse mit 13 Weichstrahlen

Körper von vielen kleinen, schwarzen X-förmigen oder runden Punkten bedeckt

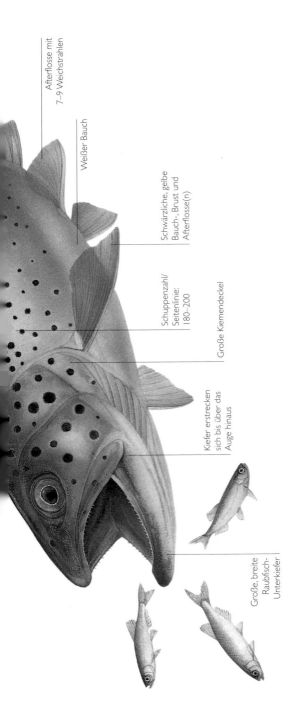

Afterflosse mit
7–9 Weichstrahlen

Weißer Bauch

Schwärzliche, gelbe
Bauch-, Brust und
Afterflosse(n)

Schuppenzahl/
Seitenlinie:
180–200

Große Kiemendeckel

Kiefer erstrecken
sich bis über das
Auge hinaus

Große, breite
Raubfisch-
Unterkiefer

# Regenbogenforelle *Oncorhynchus mykiss*

Die aus Nordamerika eingeführte Regenbogenforelle unterscheidet sich deutlich vom einheimischen Lachs und der Bachforelle durch ihre gefleckte (nicht einheitlich dunkle) Schwanzflosse. Die meisten Tiere weisen eine schillernde rosa Färbung auf den Flanken auf. Einige Regenbogenforellen wandern ins Meer: Sie werden den Steelheads genannt. Die Art ist ein bedeutender Speisefisch und ein beliebter Anglerfisch.

**Verbreitung:** Ab 1881 eingeführt, ist die Regenbogenforelle heute fast überall in Europa zu finden.

**Lebensraum:** Pflanzt sich in einigen Bächen und Flüssen fort; in andere Flüsse und Seen wird sie aus Fischzuchten eingebracht.

**Nahrung:** Hauptsächlich Wirbellose, von Krebstieren und Insekten zu Fischbrut und kleinen Fischen übergehend.

**Größe:** Wild lebende Regenbogenforellen erreichen eine Maximallänge von 20–35 cm und wiegen bis zu 2 kg. In Fischzuchten bis über 20 kg.

**Abbildung:** Ins Meer wandernde Steelhead-Forelle (oben); stationäre Süßwasser-Regenbogenforelle (unten).

Schwanzflosse mit schwarzen Punkten auf hellerem Untergrund

Rückenflosse mit 10–13 Weichstrahlen

Schwarz gepunktete silberne Seiten mit einem nach der Rückkehr ins Süßwasser zunehmend rosafarbenen Schimmer

15–16 Schuppen zwischen Fettflosse und Seitenlinie

Afterflosse mit 12–18 Weichstrahlen

Kleine Schuppen; Schuppenzahl/Seitenlinie: 135–150

Rosafarbenes Band auf den Flanken; schwarzgesprenkelter, silberner Körper und rosafarbene Flecken auf den Kiemendeckeln

Große Kiemendeckel

# Buckellachs *Oncorhynchus gorbuscha*

Ein pazifischer Lachs, der nach Europa eingeführt und ab und zu in Island, Großbritannien und Norwegen von Lachsanglern gefangen wird. Bei seiner Rückkehr aus dem Meer weist der Fisch einen graublauen Rücken, silberfarbene Seiten und einen weißen Bauch auf, aber das Männchen entwickelt schnell ein rosafarbenes Laichkleid (Rosalachs). Ein wertvoller Speisefisch.

**Verbreitung:** Wurde in Flüsse eingesetzt, die in das Weiße Meer und die Barentssee münden.

**Lebensraum:** Saubere Flüsse.

**Nahrung:** Im Meer Fische, große Krustentiere und Mollusken; nach seiner Rückkehr ins Süßwasser nimmt er keine Nahrung mehr auf.

**Größe:** 45–60 cm Länge, Gewicht: 1,5–2 kg.

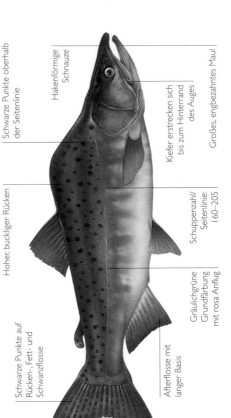

Schwarze Punkte oberhalb der Seitenlinie

Hakenförmige Schnauze

Kiefer erstrecken sich bis zum Hinterrand des Auges

Großes, engbezahntes Maul

Hoher, buckliger Rücken

Schuppenzahl/Seitenlinie: 160–205

Schwarze Punkte auf Rücken-, Fett- und Schwanzflosse

Gräulichgrüne Grundfärbung mit rosa Anflug

Afterflosse mit langer Basis

# Adriatischer Lachs *Salmothymus obtusirostris*

Dieser seltene Fisch ist nahe mit der Bachforelle und dem Lachs verwandt und gilt als Eiszeitrelikt. Kann mit der Bachforelle verwechselt werden; beide Arten lassen sich jedoch durch die Schuppenzahl der Seitenlinie sicher unterscheiden. Fischereiliche Bedeutung gering, interessanter Anglerfisch.

**Verbreitung:** In Flüssen, die in die östliche Adria nördlich von Albanien münden, sowie in Seen.

**Lebensraum:** Saubere Flüsse.

**Nahrung:** Hauptsächlich Wirbellose (Eintagsfliegen- und Steinfliegennymphen, Mücken- und Köcherfliegenlarven) sowie Anfluginsekten.

**Größe:** Maximallänge 20–25 cm; ausnahmsweise länger.

Kleine, fleischige Fettflosse

Rückenflosse mit 11–12 Weichstrahlen

Rücken und Seiten mit schwarzen und roten Punkten

Stumpfe Schnauze

Gegabelte Schwanzflosse

Dunkelgrauer oder grünbrauner Rücken

Kiefer erstrecken sich nicht bis zum Hinterrand des Auges

Weißer Bauch

Graue Seiten, manchmal mit gelbbraunen Anflug

Waagrechtes, endständiges Maul

Sehr dunkel graue oder graubraune Flossen

Afterflosse mit 11–12 Weichstrahlen

Schuppenzahl/Seitenlinie: 101–103

# Wandersaibling *Salvelinus alpinus*

Saiblinge sind Vertreter der Lachsfamilie (mit einer Fettflosse und stromlinienförmigem Körperbau). Meist prächtige Fische mit typisch weiß-gerandeten und leuchtend orangefarbenen Flossen bauchseits. Viele Saiblinge im arktischen Bereich leben im Meer; sie kehren ins Süßwasser zurück in einer silbernen Tracht, welche sich rasch leuchtend färbt. In arktischen Gewässern bedeutender Nutzfisch; beliebter Anglerfisch.

**Verbreitung:** Island, im Norden der Britischen Inseln, Fennoskandia und Russland sowie in einigen Bergseen. Im Meer lebende Populationen gibt es in Island, Nordnorwegen und im arktischen Teil Russlands.

**Lebensraum:** Kalte, saubere Seen; auch Flüsse im hohen Norden.

**Nahrung:** Hauptsächlich Wirbellose, aber auch Fischbrut und kleine Fische. Saiblingsschwärme filtern in Seen tierisches Plankton aus dem Wasser.

**Größe:** Seesaiblinge ca. 35 cm und 0,75 kg; Wandersaiblinge zwischen 40 und 55 cm und um 1,5 kg.

**Abbildung:** Weibchen (oben); Männchen mit Laichfärbung (unten).

19–22 Schuppen zwischen Fettflosse und Seitenlinie

Grüngrauer, grünblauer oder brauner Rücken

Schuppenzahl/ Seitenlinie:180–240

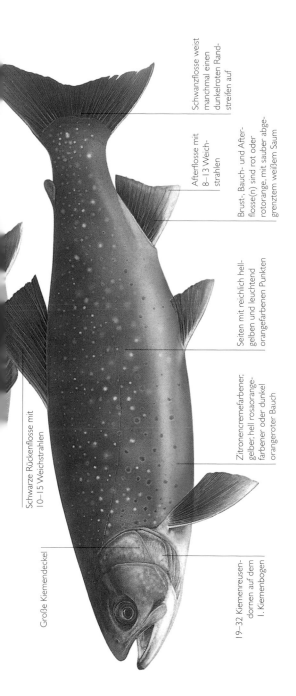

Schwanzflosse weist manchmal einen dunkelroten Randstreifen auf

Afterflosse mit 8–13 Weichstrahlen

Brust-, Bauch- und Afterflosse(n) sind rot oder rotorange, mit sauber abgegrenztem weißem Saum

Seiten mit reichlich hellgelben und leuchtend orangefarbenen Punkten

Schwarze Rückenflosse mit 10–15 Weichstrahlen

Zitronencremefarbener, gelber, hell rosaorangefarbener oder dunkel orangeroter Bauch

Große Kiemendeckel

19–32 Kiemenreusendornen auf dem I. Kiemenbogen

# Bachsaibling *Salvelinus fontinalis*

Im Jahr 1884 aus Nordamerika (dort wird die Art »Brook trout« genannt) nach Europa eingeführt, lässt sich der Bachsaibling sofort vom einheimischen Saibling durch seine weiß und schwarz gesäumten orangefarbenen Flossen bauchseits sowie den marmorierten Rücken unterscheiden. Fischereiliche Bedeutung: in Teichwirtschaften gezüchtet und beliebter Anglerfisch.

**Verbreitung:** Einige wenige Wildpopulationen haben sich in Westfrankreich und den Alpen etabliert. Darüber hinaus hängt das Vorkommen dieser Art von Besatzmaßnahmen durch Fischzuchten u.a. in Großbritannien, Fennoskandia und Südosteuropa ab.

**Lebensraum:** Saubere Flüsse; auch in Seen eingebracht.

**Nahrung:** Wirbellose am Boden; größere Bachsaiblinge verzehren auch kleinere Fische.

**Größe:** Bei der Wildform durchschnittlich um 25 cm, maximal 40 cm.

**Andere ähnliche Art:** Der Amerikanische Seesaibling (*S. namaycush*) wurde in Seen in Südskandinavien und den Alpen eingesetzt.

**Abbildung:** Zuchtform des Bachsaiblings (oben); Wildform des Bachsaiblings (unten).

Leicht gegabelte Schwanzflosse

Rückenflosse mit 10–14 Weichstrahlen

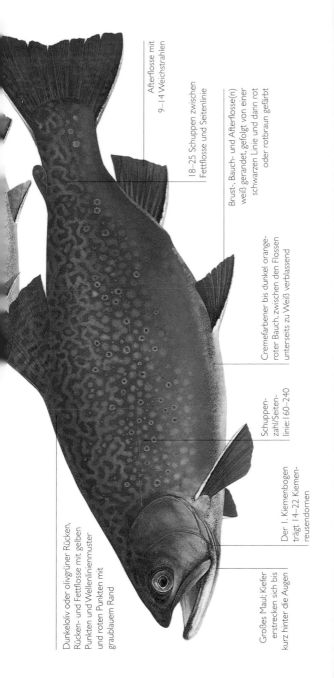

Dunkeloliv oder olivgrüner Rücken, Rücken- und Fettflosse mit gelben Punkten und Wellenlinienmuster und roten Punkten mit graublauem Rand

Großes Maul; Kiefer erstrecken sich bis kurz hinter die Augen

Der 1. Kiemenbogen trägt 14–22 Kiemenreusendornen

Schuppenzahl/Seitenlinie: 160–240

Cremefarbener bis dunkel orangeroter Bauch, zwischen den Flossen unterseits zu Weiß verblassend

Brust-, Bauch- und Afterflosse(n) weiß gerandet, gefolgt von einer schwarzen Linie und dann rot oder rotbraun gefärbt

18–25 Schuppen zwischen Fettflosse und Seitenlinie

Afterflosse mit 9–14 Weichstrahlen

# Blaufelchen *Coregonus lavaretus*

Das Blaufelchen, ein silberweiß gefärbter heringsähnlicher Fisch, ist eine von 3 in Europa vorkommenden Renkenarten. Die Fettflosse verbindet sie mit den Lachsen und Forellen. Beim Blaufelchen überragt der Oberkiefer den Unterkiefer; bei einigen isolierten Populationen kann dies schwer erkennbar sein, jedoch ziemlich ausgeprägt bei der Wanderform. Ein wichtiger Nutzfisch und beliebter Anglerfisch.

**Verbreitung:** Abgelegene, tiefe Bergseen in den Alpen und Nordwestgroßbritannien; größere Verbreitung in Nordosteuropa. Die im Meer lebende Form tritt in Ostseezuflüssen auf und (sehr selten) in der Nordsee.

**Lebensraum:** Saubere, kalte Seen und Flüsse.

**Nahrung:** Seepopulationen sind hauptsächlich Planktonfiltrierer, obwohl die flusslebenden Blaufelchen auch kleine Wirbellose vom Boden und Insekten von der Oberfläche aufnehmen.

**Größe:** Die meisten erreichen Längen von bis zu 25 cm; in arktischen Seen bis zu 70 cm und bis zu 8 kg.

Rückenflosse mit
9–15 Weichstrahlen

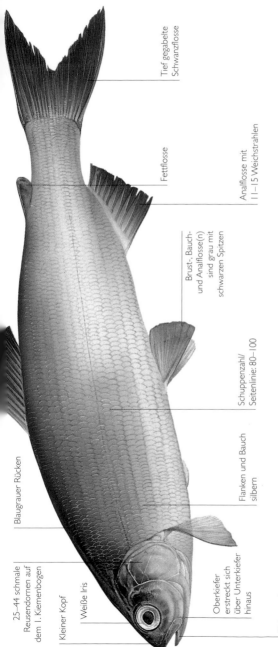

25–44 schmale Reusendornen auf dem 1. Kiemenbogen

Blaugrauer Rücken

Tief gegabelte Schwanzflosse

Kleiner Kopf

Weiße Iris

Fettflosse

Oberkiefer erstreckt sich über Unterkiefer hinaus

Kleines, zahnloses Maul

Brust-, Bauch- und Analflosse(n) sind grau mit schwarzen Spitzen

Analflosse mit 11–15 Weichstrahlen

Schuppenzahl/Seitenlinie: 80–100

Flanken und Bauch silbern

# Kleine Maräne *Coregonus albula*

Diese typische kleine silberfarbene Renke kann vom Blaufelchen durch den über den Oberkiefer hinausragenden Unterkiefer unterschieden werden (obwohl dies bei einigen isolierten Populationen schwierig zu erkennen sein kann). Anderswo tritt sie oft in riesigen Schwärmen auf. Im Osten ein wichtiger Nutzfisch.

**Verbreitung:** Südwestschottland und Nordwestengland sowie Länder an der Ostsee. Seen östlich der Elbe.

**Lebensraum:** Hauptsächlich kalte, unproduktive Seen, doch in einigen Gebieten auch in Flüssen anzutreffen, die mit Seen in Verbindung stehen.

**Nahrung:** Überwiegend tierisches Plankton, welches die Maränen aus dem Wasser filtrieren. Sie verzehren auch Mücken(larven) und Insektenpuppen, die im Wasser aufsteigen, um zu schlüpfen. Wenn das Plankton knapp ist, werden auch Bodentiere gefressen.

**Größe:** In einigen Seen beträgt die durchschnittliche Länge 10 cm, in anderen 20 cm; selten bis zu 35 cm.

Fettflosse

Dunkel blaugrüner bis blaugrauer Rücken

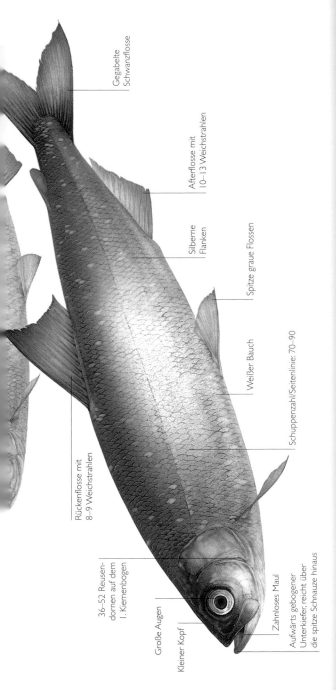

Gegabelte Schwanzflosse

Afterflosse mit 10–13 Weichstrahlen

Silberne Flanken

Spitze graue Flossen

Weißer Bauch

Schuppenzahl/Seitenlinie: 70–90

Rückenflosse mit 8–9 Weichstrahlen

36–52 Reusendornen auf dem 1. Kiemenbogen

Große Augen

Kleiner Kopf

Zahnloses Maul

Aufwärts gebogener Unterkiefer, reicht über die spitze Schnauze hinaus

# Äsche *Thymallus thymallus*

Die Äsche zeichnet sich durch einen stromlinienförmigen Körper und eine sehr große, prächtig gefärbte Rückenflosse aus. Im Gegensatz zu den meisten Fluss-Salmoniden ist sie ein Schwarmfisch. Und während Lachse, Forellen, Saiblinge und Renken im Zeitraum zwischen Spätherbst und Spätwinter laichen, pflanzt sich die Äsche im späten Frühjahr fort. Fischereiliche Bedeutung gering, aber in weiten Teilen Europas der beliebteste Fisch bei den Fliegenfischern.

**Verbreitung:** Südostengland (in West- und Nordengland und Südschottland eingeführt); von Südostfrankreich ostwärts über große Teile von Fennoskandia sowie Mitteleuropa bis Russland.

**Lebensraum:** Überwiegend saubere Flüsse, aber auch Seen, besonders im Norden ihres Verbreitungsgebietes.

**Nahrung:** Hauptsächlich Wirbellose des Fluss- und Seegrundes; aber Äschen steigen gern, um Fliegen von der Wasseroberfläche zu schnappen.

**Größe:** Die meisten erreichen Längen von 25–30 cm; ausnahmsweise über 45 cm.

Sehr große Rückenflosse mit 17–28 Weichstrahlen; schwarz, grün und orange oder dunkelrot gesprenkelt oder gestreift

Unterständiges Maul

Großes Auge
mit birnen-
förmiger Pupille

Große Schuppen verlaufen in
horizontalen Reihen entlang
des Körpers, Schuppenzahl/
Seitenlinie: 75–90

Hell cremefarbener Bauch,
manchmal hellbraun gesäumt

Afterflosse mit
9–12 Weich-
strahlen

Fettflosse: Schuppenzahl:
9–12 zwischen Fettflosse
und Seitenlinie

# Stint *Osmerus eperlanus*

Der Stint ist ein entfernter Verwandter der Salmoniden, der als Meeresfisch im Frühjahr in die Flussunterläufe einwandert (Wanderstint), um zu laichen. Als kleiner silbrig-weißer Fisch ist er oft reichlich in Flussmündungen anzutreffen und dann Hauptnahrung für fischfressende Vögel und andere Fische einschließlich der Meerforelle und des Seebarschs. Wichtiger Nutzfisch; wird auch gern mit der Angel gefangen.

**Verbreitung:** Küstengewässer um Südgroßbritannien, vom Golf von Biskaya ostwärts, rund um die Ostsee bis nach Südnorwegen. Daneben kennt man einige Populationen in Binnenseen (Binnenstint).

**Lebensraum:** Saubere Flussmündungen und Flussunterläufe; auch saubere und kühle Seen.

**Nahrung:** Kleine Stinte nehmen Plankton auf; größere Stinte fressen Planktonkrebse und die Brut von anderen Fischen.

**Größe:** Maximallänge zwischen 18 und 20 cm.

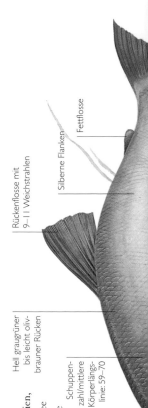

Hell graugrüner bis leicht olivbrauner Rücken

Schuppenzahl/mittlere Körperlängslinie: 59–70

Rückenflosse mit 9–11 Weichstrahlen

Silberne Flanken

Fettflosse

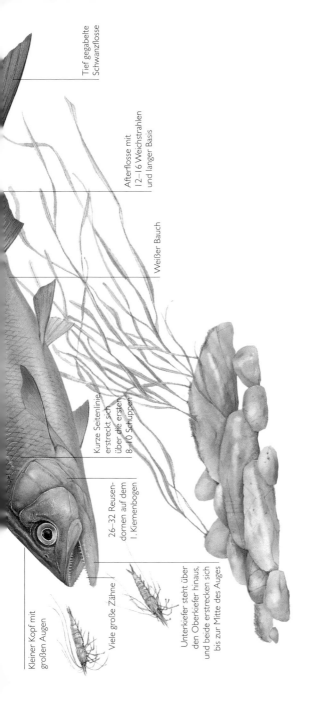

Tief gegabelte
Schwanzflosse

Afterflosse mit
12–16 Weichstrahlen
und langer Basis

Weißer Bauch

Kurze Seitenlinie,
erstreckt sich
über die ersten
8–10 Schuppen

26–32 Reusen-
dornen auf dem
1. Kiemenbogen

Kleiner Kopf mit
großen Augen

Viele große Zähne

Unterkiefer steht über
den Oberkiefer hinaus,
und beide erstrecken sich
bis zur Mitte des Auges

# Karpfen *Cyprinus carpio*

Dieser große Cyprinide wurde in Teichwirtschaften gezüchtet, um den voll beschuppten Schuppenkarpfen, den fast schuppenlosen Lederkarpfen sowie den Spiegelkarpfen mit großen Schuppen entlang der Flanken und auf dem Rücken zu erzeugen. Der Wildkarpfen ist dem gezüchteten Schuppenkarpfen ähnlich, wächst aber langsamer und ist von schlankerem Körperbau. Der Karpfen ist bei Anglern sehr beliebt und ein häufig genutzter Speisefisch.

**Verbreitung:** Ursprünglich in Südosteuropa heimisch, wurde der Karpfen in ganz Europa eingeführt, mit Ausnahme von Island, Nordschottland und Nord-Fennoskandia.

**Lebensraum:** Tieflandseen, Kanäle und langsam fließende, pflanzenreiche Flüsse.

**Nahrung:** Hauptsächlich bodenorientierte Fresser (Wirbellose, Wasserpflanzen).

**Größe:** Meist wird eine Länge zwischen 60 und 70 cm und ein Gewicht von 4 – 6 kg erreicht, ausnahmsweise über 20 kg.

**Abbildung:** Lederkarpfen (rechts); Schuppenkarpfen (Mitte); Spiegelkarpfen (unten).

Fast schuppenloser Körper

Dunkelbraune oder graue Rückenflosse mit 18–22 Weichstrahlen (der 1. ist ein starker, gezähnter Strahl)

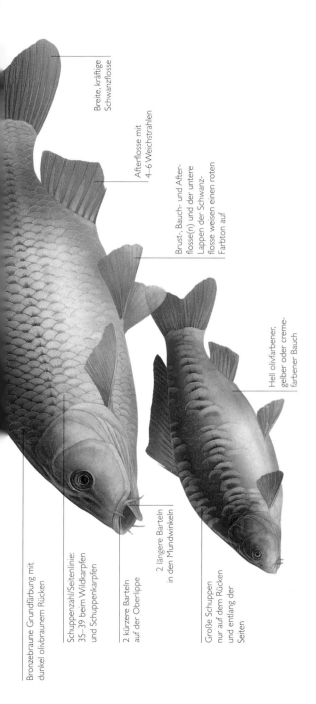

Breite, kräftige
Schwanzflosse

Afterflosse mit
4–6 Weichstrahlen

Brust-, Bauch- und After-
flosse(n) und der untere
Lappen der Schwanz-
flosse weisen einen roten
Farbton auf

Hell olivfarbener,
gelber oder creme-
farbener Bauch

Bronzebraune Grundfärbung mit
dunkel olivbraunem Rücken

Schuppenzahl/Seitenlinie:
35–39 beim Wildkarpfen
und Schuppenkarpfen

2 kürzere Barteln
auf der Oberlippe

2 längere Barteln
in den Mundwinkeln

Große Schuppen
nur auf dem Rücken
und entlang der
Seiten

# Karausche *Carassius carassius*

Dieser kleine Karpfenfisch kann wegen des Fehlens von Barteln sofort vom jungen Schuppenkarpfen unterschieden werden. Kleine unkrautbewachsene Teiche, in deren geringer Sauerstoffgehalt die meisten Cypriniden töten würde, weisen oft gewaltige Populationen von verkümmerten Karauschen auf. In Osteuropa Speise- und Angelfisch, bei uns weniger begehrt.

**Verbreitung:** Einheimisch in Süd- und Osteuropa (nicht aber im hohen Norden). Wurde nach Großbritannien, Frankreich und Spanien eingeführt.

**Lebensraum:** Kanäle und pflanzenreiche Tieflandseen und Teiche, gelegentlich langsam fließende Flüsse.

**Nahrung:** Fast ausschließlich bodenorientierte Nahrungsaufnahme (Würmer, Mückenlarven, Wasserasseln und Schnecken; im Sommer auch Plankton).

**Größe:** In kleinen Teichen Maximallänge 8–10 cm; in größeren Gewässern üblicherweise 20–30 cm.

Dunkel graubraune Rückenflosse mit 17–25 Weichstrahlen (der 1. gezähnt) und langer Basis; freier Flossenrand konvex

Goldbraune Grundfärbung mit dunkelolivfarbenem oder rotbraunem Rücken

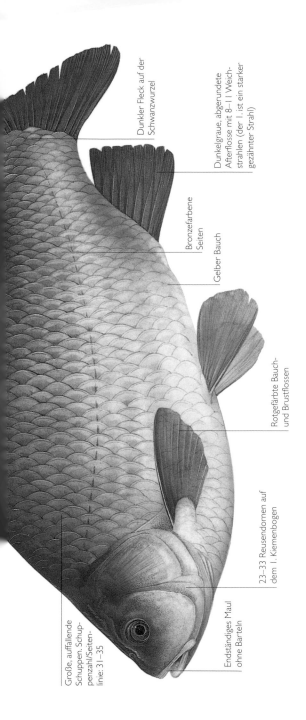

Dunkler Fleck auf der Schwanzwurzel

Dunkelgraue, abgerundete Afterflosse mit 8–11 Weichstrahlen (der 1. ist ein starker gezähnter Strahl)

Bronzefarbene Seiten

Gelber Bauch

Rotgefärbte Bauch- und Brustflossen

23–33 Reusendornen auf dem 1. Kiemenbogen

Endständiges Maul ohne Barteln

Große, auffallende Schuppen. Schuppenzahl/Seitenlinie: 31–35

# Giebel *Carassius auratus gibelio* und Goldfisch *Carassius auratus*

Der Goldfisch und seine viele ausgefallenen Formen wurden aus dem wilden Giebel gezüchtet, einer Art, die der Karausche sehr ähnlich ist. Bei der Karausche ist die dorsale Flosse konvex, beim Giebel konkav oder gerade; man überprüfe auch die Schuppenzahl und die Schlundzähne. Goldfische kehren manchmal zur graubraunen Färbung des Giebels zurück. Für Fischerei und Angelsport bedeutungslos, jedoch wichtiger Zierfisch.

**Verbreitung:** Giebel kommen durchgehend in Osteuropa vor (nicht im Norden). Nach Deutschland und Holland wurden sie eingeführt. Goldfische werden als unerwünschte Haustiere manchmal freigelassen.

**Lebensraum:** Pflanzenreiche Teiche und Kanäle.

**Nahrung:** Tierisches Plankton, Mückenlarven, Wasserasseln, Schnecken und andere bodenlebende Wirbellose; auch Anfluginsekten und Wasserpflanzen.

**Größe:** In wilden Beständen üblicherweise 10–20 cm, ausnahmsweise über 30 cm Länge.

**Abbildung:** Giebel (oben); Goldfisch (unten).

Silberne Seiten mit gelbem Anflug

Dunkel graubraune Rückenflosse mit langer Basis mit 17–25 Weichstrahlen (der 1. ist hart und gezähnt)

Stumpf grünbrauner Rücken

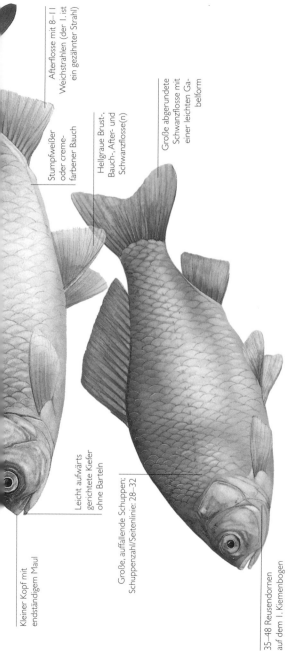

Afterflosse mit 8–11 Weichstrahlen (der 1. ist ein gezähnter Strahl)

Stumpfweißer oder cremefarbener Bauch

Hellgraue Brust-, Bauch-, After- und Schwanzflosse(n)

Große abgerundete Schwanzflosse mit einer leichten Gabelform

Kleiner Kopf mit endständigem Maul

Leicht aufwärts gerichtete Kiefer ohne Barteln

Große, auffallende Schuppen; Schuppenzahl/Seitenlinie: 28–32

35–48 Reusendornen auf dem 1. Kiemenbogen

# Döbel *Leuciscus cephalus*

In Europa ist die Fischart weit verbreitet und tritt oft in großen Schwärmen auf. Döbel können zu kapitalen Exemplaren heranwachsen, die dann oft einzelgängerisch sind; die Fische fressen fast alles. Kleine Döbel können mit großen Haseln verwechselt werden (S. 82); hierzu prüft man die After- und die Rückenflosse. Fischereiliche Bedeutung: Fang mit Netzen und der Angel, jedoch wegen des grätenreichen Fleisches nicht überall geschätzt.

**Verbreitung:** In ganz Europa, nicht in Nord-Fennoskandia, Island, Irland und Nordschottland.

**Lebensraum:** Hauptsächlich im Mittel- und Unterlauf von Flüssen, ab und zu auch in Seen.

**Nahrung:** Döbel fressen alles, was sie schlucken können, einschließlich Wasserpflanzen, Früchten, Samen, Bodenwirbellosen, Fliegen auf der Oberfläche und Landlebewesen (z. B. Nacktschnecken), die in den Fluss gefallen sind. Auch Amphibien und kleinere Fische.

**Größe:** Maximallänge 40–60 cm.

**Andere ähnliche Art:** Der Bobyrez (*L. borysthenicus*) tritt nur in Unterläufen von Schwarzmeerflüssen auf.

Großes Maul

Stumpfe
Schnauze

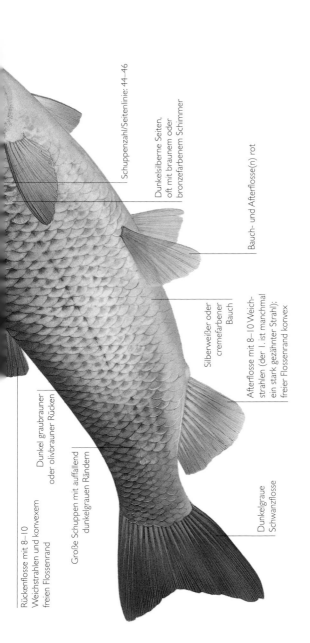

Rückenflosse mit 8–10 Weichstrahlen und konvexem freien Flossenrand

Dunkel graubrauner oder olivbrauner Rücken

Große Schuppen mit auffallend dunkelgrauen Rändern

Dunkelgraue Schwanzflosse

Silberweißer oder cremefarbener Bauch

Afterflosse mit 8–10 Weichstrahlen (der 1. ist manchmal ein stark gezähnter Strahl); freier Flossenrand konvex

Schuppenzahl/Seitenlinie: 44–46

Dunkelsilberne Seiten, oft mit braunem oder bronzefarbenem Schimmer

Bauch- und Afterflosse(n) rot

# Aland, Orfe *Leuciscus idus*

Der Aland ist ein verbreiteter osteuropäischer Fisch, der niemals nach Nordwest- oder Südeuropa vorgedrungen ist. Er könnte mit einem kleinen Döbel verwechselt werden (S. 78f.). Die Goldorfe ist eine Zuchtform des Alands und wird üblicherweise in Ziertreichen gefunden; bis auf die Färbung entspricht ihr Bau dem des wilden Alands. Fischereiliche Bedeutung; früher Massenfänge, heute zurückgehende Bedeutung; gern gefangener Anglerfisch.

**Verbreitung:** Europa, im Westen bis Deutschland und Holland, aber nicht im hohen Norden oder im Süden. Der Aland wurde in Seen Süd- und Mittelenglands eingesetzt.

**Lebensraum:** Tieflandseen und Flussunterläufe einschließlich brackiger Flussmündungen.

**Nahrung:** Fluss- und Seewirbellose einschließlich Köcherfliegen und Mückenlarven, Steinfliegen- und Eintagsfliegenlarven, Flohkrebse und Schnecken; auch Krebstiere und marin lebende Würmer aus Flussmündungen. Große Alande fressen kleine Fische.

**Größe:** Durchschnittliche Länge um 25 cm, Gewicht 500 g; Maximum 40 cm, 1,25 kg, ausnahmsweise größer.

**Abbildung:** Goldorfe (Zuchtform des Alands, unten); Wildform des Alands (oben).

Charakteristische Seitenlinie (gerade oder leicht konkav)

Stumpfe Schnauze

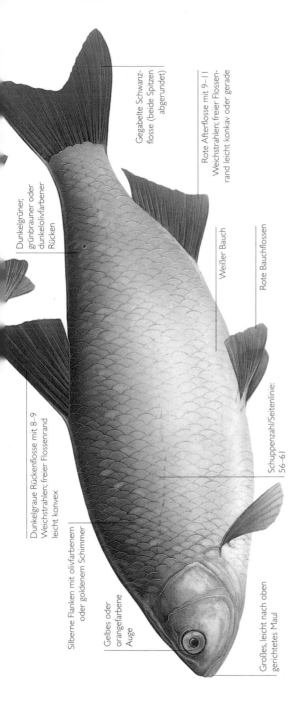

Gegabelte Schwanz-
flosse (beide Spitzen
abgerundet)

Rote Afterflosse mit 9–11
Weichstrahlen; freier Flossenrand leicht konkav oder gerade

Dunkelgrüner,
grünbrauner oder
dunkelolivfarbener
Rücken

Weißer Bauch

Rote Bauchflossen

Dunkelgraue Rückenflosse mit 8–9
Weichstrahlen; freier Flossenrand
leicht konvex

Schuppenzahl/Seitenlinie:
56–61

Silberne Flanken mit olivfarbenem
oder goldenem Schimmer

Gelbes oder
orangefarbene
Auge

Großes, leicht nach oben
gerichtetes Maul

# Hasel *Leuciscus leuciscus*

Der Hasel ist ein kleiner, silberner Fisch, der manchmal in riesigen Schwärmen in den Flussunterläufen auftritt und bisweilen mit einem kleinen Döbel verwechselt wird (S. 78f.); man überprüfe das Auge und Rücken- sowie Afterflosse. Er ist die Hauptnahrung von fischfressenden Wasservögeln und Raubfischen. Fischereiliche Bedeutung gering, im Angelsport wegen seines weichen, grätigen Fleisches wenig beliebt.

**Verbreitung:** England und Frankreich ostwärts durch Europa außer dem äußersten Süden und Norden. Eingeführt nach Südirland.

**Lebensraum:** Hauptsächlich die Unter- und Mittelläufe von Flüssen, ab und zu auch in Seen und Kanälen.

**Nahrung:** Überwiegend Wirbellose (z. B. Kriebelmücken- und Mückenlarven); auch Fliegen von der Oberfläche (schlüpfende Mücken, Eintagsfliegen, Köcherfliegen). Auch Algen werden vom Gestein abgeweidet.

**Größe:** Durchschnittliche Maximallänge zwischen 15 und 25 cm, Gewicht bis zu 250 g; ausnahmsweise bis zu 30 cm Länge.

Silberne Seiten

Dunkelgraue Rückenflosse mit 7–8 Weichstrahlen, freier Flossenrand konkav

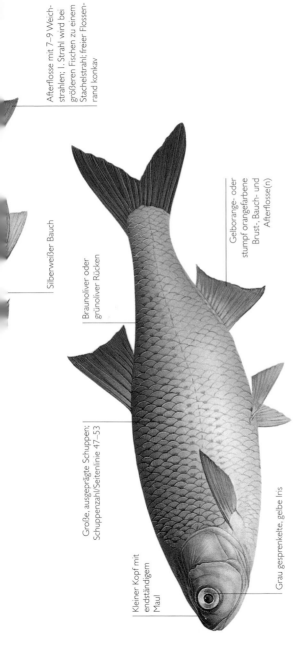

Afterflosse mit 7–9 Weichstrahlen; 1. Strahl wird bei größeren Fischen zu einem Stachelstrahl; freier Flossenrand konkav

Silberweißer Bauch

Gelborange- oder stumpf orangefarbene Brust-, Bauch- und Afterflosse(n)

Braunoliver oder grünoliver Rücken

Große, ausgeprägte Schuppen; Schuppenzahl/Seitenlinie 47–53

Kleiner Kopf mit endständigem Maul

Grau gesprenkelte, gelbe Iris

# Adriatischer Hasel *Leuciscus svallise*

Dieser kleine silberne Weißfisch ersetzt den Hasel (S. 82 f.) in Adriazuflüssen. Die Schuppenzahl entlang der Seitenlinie variiert von einem Flusseinzugsgebiet zum nächsten. Wissenschaftler ordnen diese Formen deshalb unterschiedlichen Arten zu. Der Adriatische Hasel tritt oft in großen Schwärmen auf und ist Nahrung für viele Räuber. Fischereilich und im Angelsport geringe Bedeutung.

**Verbreitung:** Zuflüsse der Adria aus Slowenien südlich bis zum Vijose-Fluss in Südalbanien.

**Lebensraum:** Saubere Fließgewässer in Kalksteingebieten.

**Nahrung:** Wirbellose, einschließlich Bodentiere (z. B. Nymphen und Larven) und Anfluginsekten.

**Größe:** Übliche Länge 15–20 cm; ausnahmsweise bis zu 25 cm.

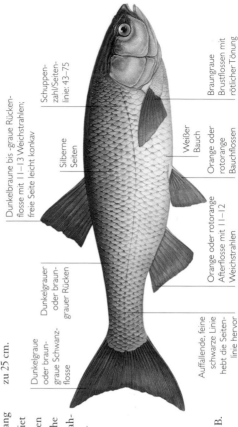

Dunkelbraune bis -graue Rückenflosse mit 11–13 Weichstrahlen; freie Seite leicht konkav

Schuppenzahl/Seitenlinie: 43–75

Silberne Seiten

Weißer Bauch

Dunkelgrauer oder braungrauer Rücken

Orange oder rotorange Bauchflossen

Braungraue Brustflossen mit rötlicher Tönung

Dunkelgraue oder braungraue Schwanzflosse

Auffallende, feine schwarze Linie hebt die Seitenlinie hervor

Orange oder rotorange Afterflosse mit 11–12 Weichstrahlen

# Strömer *Leuciscus souffia agassizi*

Der Strömer ist ein kleiner, haselähnlicher Fisch, der in Bergbächen in Mittel- und Südeuropa lebt. Der wenig bekannte Fisch nimmt in Teilen seines Verbreitungsgebietes aufgrund des Querverbaus der Fließgewässer ab. Fischereilich und im Angelsport ohne Bedeutung.

**Verbreitung:** Süddeutschland, Norditalien, Schweiz und Österreich. Im Süden aus den Julischen Alpen bis nach Bosnien und in den Karpaten Rumäniens.

**Lebensraum:** Saubere Flüsse und Bäche bis zu 2200 m.

**Nahrung:** Wirbellose des Flussgrundes, einschließlich Insektenlarven und -nymphen; auch Anfluginsekten.

**Größe:** Durchschnittliche Länge 10–12 cm, ausnahmsweise bis zu 15 cm.

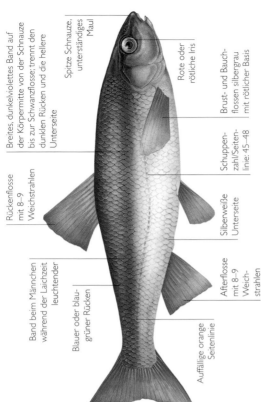

Breites, dunkelviolettes Band auf der Körpermitte von der Schnauze bis zur Schwanzflosse; trennt den dunklen Rücken und die hellere Unterseite

Spitze Schnauze, unterständiges Maul

Rote oder rötliche Iris

Brust- und Bauchflossen silbergrau mit rötlicher Basis

Schuppenzahl/Seitenlinie: 45–48

Silberweiße Unterseite

Afterflosse mit 8–9 Weichstrahlen

Auffällige orange Seitenlinie

Blauer oder blaugrüner Rücken

Band beim Männchen während der Laichzeit leuchtender

Rückenflosse mit 8–9 Weichstrahlen

# Ziege, Sichling *Pelecus cultratus*

Mit seinem geraden Rücken und gebogenen Bauch, der langen Afterflosse und der kleinen Rückenflosse sowie dem markanten oberständigen Maul ist dies einer der unverkennbarsten Cypriniden. Es ist auch ein bedeutender Wanderfisch, der in brackigen Flussmündungen frisst und zum Ablaichen weit flussaufwärts wandert. In Mitteleuropa keine fischereilich Bedeutung, in Osteuropa als Speisefisch; im Angelsport ohne Bedeutung.

**Verbreitung:** 2 getrennte Populationen. Diejenige aus Ländern, die an die Südostsee angrenzen, namentlich Dänemark, Polen, die baltischen Staaten, Südfinnland und Schweden, ist jetzt gefährdet. Die andere bewohnt Fließgewässer, die zu den Nordküsten des Schwarzen und des Kaspischen Meeres entwässern.

**Lebensraum:** Saubere Flüsse und Flussmündungen.

**Nahrung:** Jungtiere fressen eine Vielfalt an Fluß-Wirbellosen; Erwachsene ernähren sich fast ausschließlich von kleinen Fischen.

**Größe:** Durchschnittslänge 25 – 35 cm, Gewicht um 1,5 kg; ausnahmsweise über 60 cm.

Silberne Färbung mit hell blaugrünem oder graugrünem Rücken

Hellgraue Rückenflosse mit gelben Streifen und 7–8 Weichstrahlen

Hellgraue Schwanzflosse mit gelben Streifen

Kurze Schnauze

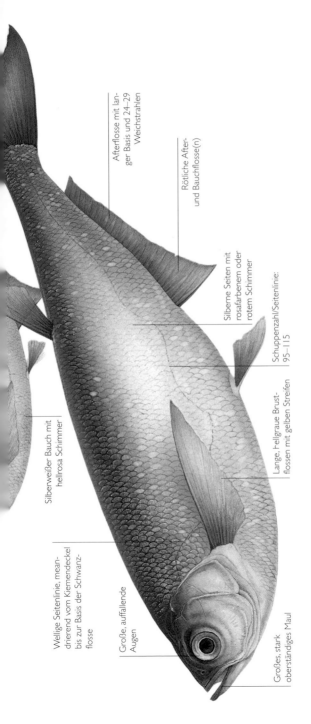

Afterflosse mit langer Basis und 24–29 Weichstrahlen

Rötliche After- und Bauchflosse(n)

Silberne Seiten mit rosafarbenem oder rotem Schimmer

Schuppenzahl/Seitenlinie: 95–115

Lange, hellgraue Brustflossen mit gelben Streifen

Silberweißer Bauch mit hellrosa Schimmer

Wellige Seitenlinie, meandrierend vom Kiemendeckel bis zur Basis der Schwanzflosse

Große, auffallende Augen

Großes, stark oberständiges Maul

# Moderlieschen *Leucaspius delineatus*

Das Moderlieschen ist ein kleiner Fisch, der oft in riesigen Schwärmen auftritt. Sein Name leitet sich vom Wort »Mutterloseken« ab, was soviel wie »mutterlos« bedeutet. Die Bezeichnung kommt daher, dass die Art plötzlich in vermeintlich fischfreien oder vorher trockengefallenen Tümpeln in Schwärmen auftreten kann. Vermutlich wurden die Eier an den Füßen von Wasservögeln dorthin gebracht. Fischereilich und im Angelsport ohne Bedeutung.

**Verbreitung:** In Europa von Belgien ostwärts, jedoch nicht in Fennoskandia, Nordrussland, Griechenland und Italien.

**Lebensraum:** Pflanzenreiche Tümpel und kleine Seen, Ränder von vegetationsreichen Flüssen und künstlichen Kanälen, Entwässerungskanälen und Gräben.

**Nahrung:** Kleines Zooplankton (u.a. *Daphnia*), Mückenpuppen und biswelen von der Wasseroberfläche aufgenommene Fliegen.

**Größe:** Maximallänge zwischen 8 und 10 cm; ausnahmsweise bis 12 cm.

Rückenflosse mit 8–9 Weichstrahlen

Deutlich oberständiges Maul

Helle weiße oder graue Flossen mit gelbem Anflug

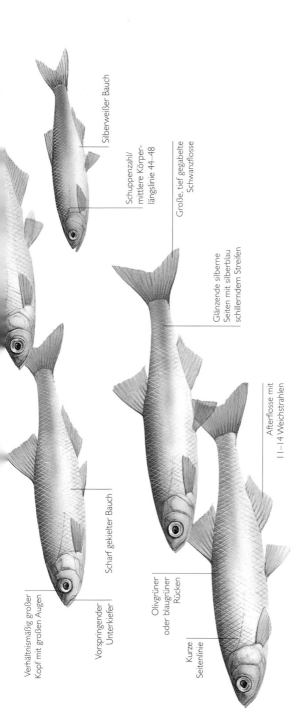

Verhältnismäßig großer Kopf mit großen Augen

Vorspringender Unterkiefer

Scharf gekielter Bauch

Olivgrüner oder blaugrüner Rücken

Kurze Seitenlinie

Silberweißer Bauch

Schuppenzahl/mittlere Körperlängslinie 44–48

Große, tief gegabelte Schwanzflosse

Glänzende silberne Seiten mit silberblau schillerndem Streifen

Afterflosse mit 11–14 Weichstrahlen

# Rotauge *Rutilus rutilus*

Einer der häufigsten Fische Europas und ein beliebter
Anglerfisch; Rotaugen werden manchmal mit der Rotfeder verwechselt (S. 94 f.). Man überprüfe die Schup-
penanzahl, Irisfarbe und Maulform. Zudem liegt beim
Rotauge die Vorderseite der Rückenflossenbasis auf
gleicher Höhe mit der Ansatzstelle der Bauchflosse,
weit hinter der Bauchflossenbasis der Rotfeder. Fischereiliche Bedeutung gebietsweise verschieden.

**Verbreitung:** Frankreich und Süd- und Ostengland ostwärts nach Russland hinein, aber nicht weit nach Norden und Süden. Eingeführt nach Westgroßbritannien
und Irland.

**Lebensraum:** Kleine Tümpel
und große Seen, Kanäle und
langsam fließende Flüsse.

**Nahrung:** Schwarmfisch, der sich von Wasserpflanzen,
Bodenwirbellosen (z. B. Mückenlarven, Krebstieren
und Schnecken) ernährt; jagt im Mittelwasser die zum
Schlüpfen aufsteigenden Insektenpuppen.

**Größe:** Oft Kümmerwuchs in Tümpeln (10–15 cm
Länge), aber andernorts bis zu 25–35 cm und
0,5–1,2 kg; ausnahmsweise bis zu 2 kg.

Stumpf blaugrauer,
dunkeloliver oder
olivbrauner Rücken

Hohe, graubraune
Rückenflosse mit
9–13 Weichstrahlen

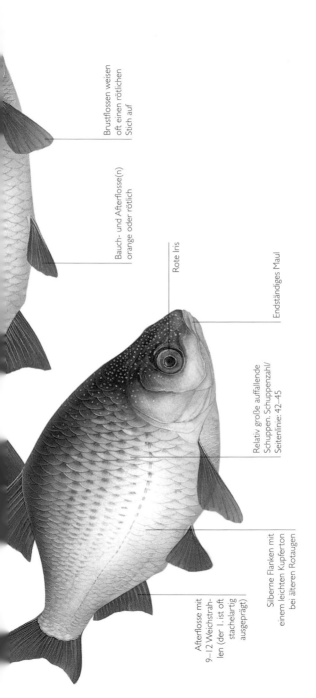

Brustflossen weisen oft einen rötlichen Stich auf

Bauch- und Afterflosse(n) orange oder rötlich

Rote Iris

Endständiges Maul

Relativ große auffallende Schuppen. Schuppenzahl/ Seitenlinie: 42–45

Silberne Flanken mit einem leichten Kupferton bei älteren Rotaugen

Afterflosse mit 9–12 Weichstrahlen (der 1. ist oft stachelartig ausgeprägt)

# Pigo *Rutilus pigus*

Dies ist eine von 3 *Rutilus*-Arten, die nur in Südosteuropa anzutreffen sind. Man erkennt ihn leicht an der großen Schuppenzahl entlang der Seitenlinie. Der Pigo ist ein schlanker, silberner Fisch, der oft in großen Schwärmen auftritt. Fischereilich und im Angelsport geringe Bedeutung.

**Verbreitung:** 2 getrennte Populationen, eine in Italien im Po-Einzugsgebiet, die andere im Donau-Oberlauf von der Südschweiz (Engadin) ostwärts.

**Lebensraum:** Größere, tiefe Flüsse, Seen.

**Nahrung:** Wasserpflanzen und Algen; auch Larven von Kriebelmücken, Mücken, Flohkrebse und Schnecken.

**Größe:** Länge 10–20 cm.

Rückenflosse mit 10–11 Weichstrahlen

Silberne Seiten erhalten einen kupfernen oder messingfarben Ton, wenn die Fische heranwachsen

Kleiner Kopf mit endständigem Maul

Rote Iris

Silberner bis weißer Bauch, der einen bläulichen Ton erhält, wenn die Fische heranwachsen

Dunkel orangerote Bauchflosse

Graubraune Rücken-, Brust- und Schwanzflosse(n) mit rötlicher Tönung

Graublauer oder grauolivfarbener Rücken

Schuppenzahl/Seitenlinie: 45–49

Dunkel orangerote Afterflosse mit 10–13 Weichstrahlen

# Escalo *Rutilus arcasii*

Das Escalo ist eine der 3 Arten, die man nur auf der Iberischen Halbinsel findet. Sie ähneln sich sehr; am leichtesten sind sie anhand der Schuppenzahl entlang der Seitenlinie zu unterscheiden. Fischereiliche Bedeutung gering, im Angelsport ebenso.

**Verbreitung:** Überall in Portugal und Westspanien, aber nicht im tiefen Süden.

**Lebensraum:** Große Flüsse und tiefere Abschnitte von kleinen Bächen.

**Nahrung:** Insektenfressender Schwarmfisch, nimmt Kriebelmücken- und Eintagsfliegenlarven, kleine Krustentiere sowie Schnecken vom Flussgrund auf.

**Größe:** Maximallänge 12–13 cm.

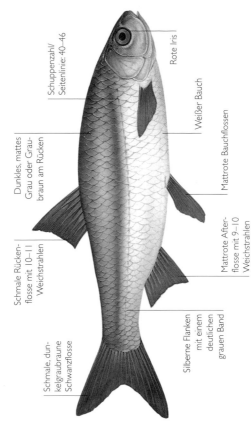

Schuppenzahl/Seitenlinie: 40–46

Rote Iris

Dunkles, mattes Grau oder Graubraun am Rücken

Weißer Bauch

Schmale Rückenflosse mit 10–11 Weichstrahlen

Mattrote Bauchflossen

Schmale, dunkelgraubraune Schwanzflosse

Silberne Flanken mit einem deutlichen grauen Band

Mattrote Afterflosse mit 9–10 Weichstrahlen

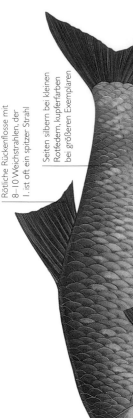

# Rotfeder *Scardinius erythrophthalmus*

Viele Angler halten die Rotfeder für die schönste Art unter den Cypriniden. Obgleich manchmal mit dem Rotauge verwechselt (siehe S. 90f.) sind die leuchtend blutroten Flossen und die kupferfarbenen Flanken eindeutig. Ihr oberständiges Maul ist eine Anpassung an die Nahrungsaufnahme an der Wasseroberfläche. Fischereiliche Bedeutung gering, jedoch beliebter Anglerfisch.

**Verbreitung:** Frankreich und Südostgroßbritannien ostwärts durch ganz Europa außer dem hohen Norden; nach Nordwestgroßbritannien und Irland eingeführt.

**Lebensraum:** Tümpel und vegetationsreiche Tieflandseen und Kanäle; auch langsam fließende Flüsse.

**Nahrung:** Nahrungsaufnahme unter der Oberfläche (Wasserpflanzen und kleine Wirbellose), dazu Mücken und andere kleine Fliegen von der Oberfläche.

**Größe:** Oft Kümmerwuchs (Länge 8–12 cm) in kleinen Gewässern; andernorts bis zu 35 cm und ausnahmsweise bis 45 cm.

Rötliche Rückenflosse mit 8–10 Weichstrahlen, der I. ist oft ein spitzer Strahl

Seiten silbern bei kleinen Rotfedern, kupferfarben bei größeren Exemplaren

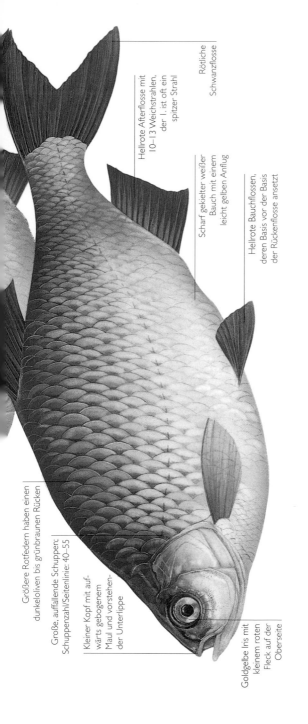

Größere Rotfedern haben einen dunkeloliven bis grünbraunen Rücken

Große, auffallende Schuppen; Schuppenzahl/Seitenlinie: 40–55

Kleiner Kopf mit aufwärts gebogenem Maul und vorstehender Unterlippe

Goldgelbe Iris mit kleinem roten Fleck auf der Oberseite

Hellrote Afterflosse mit 10–13 Weichstrahlen, der 1. ist oft ein spitzer Strahl

Rötliche Schwanzflosse

Scharf gekielter weißer Bauch mit einem leicht gelben Anflug

Hellrote Bauchflossen, deren Basis vor der Basis der Rückenflosse ansetzt

# Bitterling *Rhodeus sericeus amarus*

Ein kleiner Fisch mit bemerkenswertem Brutverhalten: Das Weibchen legt seine Eier durch eine Legeröhre in Süßwassermuscheln, die die Eier vor Fressfeinden schützen. Zunehmend häufig als Gartenteich- und Aquarienfisch. Fischereilich und im Angelsport ohne Bedeutung.

und sehr langsam fließende Flüsse mit Süßwassermuscheln.

**Nahrung:** Mikroskopisch kleine Algen; Zooplankton und kleine Wasserwirbellose (z. B. Mückenlarven und Würmer).

**Größe:** Meist bis 6 cm, selten bis 8,5 cm.

**Abbildung:** Weibchen (links) und Männchen (rechts) während der Laichzeit.

**Verbreitung:** Von Nordfrankreich ostwärts durch Russland, aber nicht Süd- und Nordeuropa; in Süd- und Mittelengland eingeführt.

**Lebensraum:** Kleine vegetationsreiche Seen, Kanäle

Grauoliver oder olivbrauner Rücken

Glänzende silberfarbene oder schillernde blaugrüne Linie entlang der Körpermitte

Große Schwanzflosse

Hellgraue Flossen mit Orangeschimmer

Leuchtend orangerote Rückenflosse mit langer Basis und 8–10 Weichstrahlen (1. oft ein spitzer Strahl)

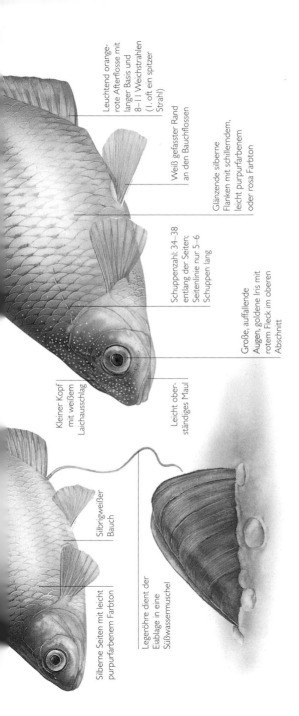

Leuchtend orange-rote Afterflosse mit langer Basis und 8–11 Weichstrahlen (1. oft ein spitzer Strahl)

Weiß gefasster Rand an den Bauchflossen

Glänzende silberne Flanken mit schillerndem, leicht purpurfarbenem oder rosa Farbton

Schuppenzahl: 34–38 entlang der Seiten; Seitenlinie nur 5–6 Schuppen lang

Große, auffallende Augen, goldene Iris mit rotem Fleck im oberen Abschnitt

Kleiner Kopf mit weißem Laichausschlag

Leicht ober-ständiges Maul

Silbrigweißer Bauch

Silberne Seiten mit leicht purpurfarbenem Farbton

Legeröhre dient der Eiablage in eine Süßwassermuschel

FAMILIE KARPENFISCHE (CYPRINIDAE) 97

# Elritze *Phoxinus phoxinus*

Die Elritze ist ein weitverbreiteter und oft reichlich vorhandener Schwarmfisch in Flüssen und sauberen Seen. Sie ist ein kleiner Fisch, der zur wichtigsten Nahrung fischfressender Vogelarten und größerer Fische zählt. Männchen im Laichkleid könnten mit Männchen des Dreistacheligen Stichlings (siehe S. 160f.) verwechselt werden. Fischereilich und im Angelsport ohne Bedeutung.

**Verbreitung:** Über ganz Europa von Frankreich und Südostgroßbritannien ostwärts, außer Nord-Fennoskandia, Italien und Griechenland; eingeführt in Nordwestgroßbritannien und Irland.

**Lebensraum:** Saubere Bäche, Flüsse und Seen.

**Nahrung:** Hauptsächlich vom Gewässergrund aufgenommene kleinste Wirbellose. Die Schwärme steigen aber auch empor, um Fliegen von der Wasseroberfläche zu holen.

**Größe:** Maximallänge zwischen 6 und 9 cm.

**Abbildung:** Laichreifes Männchen (oben links), Weibchen und/oder unreife Tiere im Schwarm.

Rückenflosse mit 10 Weichstrahlen

Grüne Flanken

Dunkel olivbrauner Rücken

Abgerundete, graubraune Flossen mit kurzer Basis

Afterflosse mit 10 Weichstrahlen

Hell olivbraune Seiten mit dunklen Flecken

Seitenlinie erscheint gebrochen zwischen Rücken- und Schwanzflosse

Weißer Bauch

Schuppenzahl/ Seitenlinie: 80–95

Stumpfe Schnauze, Kopf mit leicht oberständigem Maul

Rote Bauch- und Brustflossen

Dunkelroter Bauch

Schwarze Kehle

# Sumpfelritze *Phoxinus percnurus*

Die Sumpfelritze ist etwas kräftiger und weniger schlank als die Elritze (S. 98 f.). Sie ist auch weniger gut bekannt, teilweise wegen ihres beschränkten Verbreitungsgebietes und Lebensraumes, teilweise aber auch, weil sie als wirtschaftlich unbedeutend gilt. Im Angelsport ohne Bedeutung.

**Verbreitung:** Polen ostwärts bis nach Russland hinein.

**Lebensraum:** Kleine pflanzenreiche Tümpel und seichte Seeränder sowie von Schwimmpflanzen bedeckte Flussseitenarme.

**Nahrung:** Schwarmfisch, der alle Wirbellosen frisst, die er schlucken kann, von planktischen Kleinkrebsen (z. B. *Daphnia*) über Wasserasseln bis zu kleinen Schnecken.

**Größe:** Übliche Maximallänge 10–12 cm.

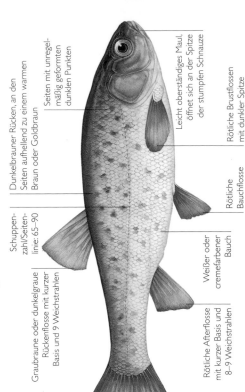

Dunkelbrauner Rücken, an den Seiten aufhellend zu einem warmen Braun oder Goldbraun

Seiten mit unregelmäßig geformten dunklen Punkten

Leicht oberständiges Maul, öffnet sich an der Spitze der stumpfen Schnauze

Rötliche Brustflossen mit dunkler Spitze

Schuppenzahl/Seitenlinie: 65–90

Graubraune oder dunkelgraue Rückenflosse mit kurzer Basis und 9 Weichstrahlen

Weißer oder cremefarbener Bauch

Rötliche Bauchflosse

Rötliche Afterflosse mit kurzer Basis und 8–9 Weichstrahlen

# Spanische Elritze *Phoxinellus hispanicus*

Dieser kleine, schlanke Fisch ist eines der am wenigsten bekannten und am meisten gefährdeten europäischen Wirbeltiere mit einer begrenzten Verbreitung. Der dunkle Rücken und der gelbe Bauch werden von einer markanten schwarzen Linie getrennt, was die Bestimmung erleichtert. Fischereilich und im Angelsport ohne Bedeutung.

**Verbreitung:** Einzugsgebiet des Guadalquivir und Guadiana in Südspanien.

**Lebensraum:** Saubere Flüsse.

**Nahrung:** Mückenlarven, kleine Krebstiere und Algen des Flussbettes.

**Größe:** Durchschnittliche Länge um 5 cm.

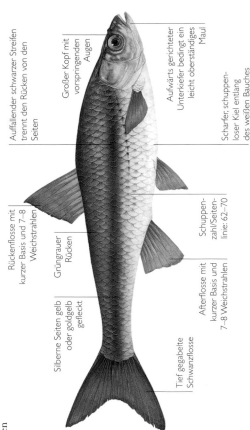

Auffallender schwarzer Streifen trennt den Rücken von den Seiten

Großer Kopf mit vorspringenden Augen

Aufwärts gerichteter Unterkiefer bedingt ein leicht oberständiges Maul

Scharfer, schuppenloser Kiel entlang des weißen Bauches

Rückenflosse mit kurzer Basis und 7–8 Weichstrahlen

Grüngrauer Rücken

Schuppenzahl/Seitenlinie: 62–70

Silberne Seiten gelb oder goldgelb gefleckt

Afterflosse mit kurzer Basis und 7–8 Weichstrahlen

Tief gegabelte Schwanzflosse

# Brachsen *Abramis brama*

Der Brachsen ist ein großer, seitlich abgeflachter Cypride und der schleimigste unter den europäischen Fischen. Seine Größe und sein häufiges Auftreten in großen Schwärmen machen ihn zu einem sehr beliebten Angelfisch. Er ist auch ein wichtiger Speisefisch. Kleinere Brachsen sind stärker silberfarben und können mit dem Güster (S. 108 f.) verwechselt werden.

**Verbreitung:** Von Frankreich und Süd- und Ostengland ostwärts überall in Europa bis nach Russland hinein, aber nicht im hohen Norden oder Süden. Nach Westgroßbritannien und Irland eingeführt.

**Lebensraum:** Flache Tieflandseen, langsam fließende, schlammige Flüsse und Kanäle.

**Nahrung:** Brachsen sind bodenorientierte Fresser, die kleine Tiere aufsaugen (u. a. Mückenlarven, Würmer, Schnecken, Erbsenmuscheln, Wasserasseln). Sie wirbeln oft Schlammwolken auf, was man an der Oberfläche beobachten kann.

**Größe:** Maximallänge 50–60 cm, Gewicht 2,5–3 kg.

Dunkelbrauner oder graubrauner Rücken

Graue oder graubraune Rückenflosse (nach hinten verschoben) und 9 Weichstrahlen

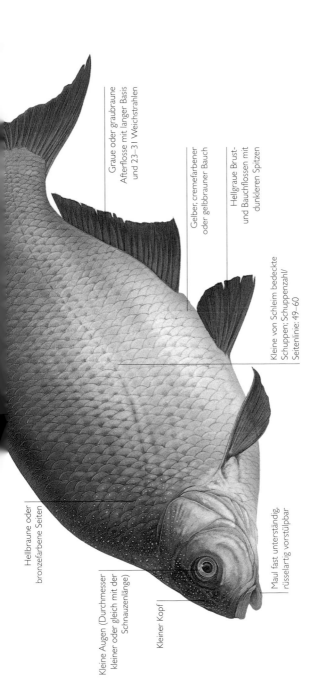

Graue oder graubraune
Afterflosse mit langer Basis
und 23–31 Weichstrahlen

Gelber, cremefarbener
oder gelbbrauner Bauch

Hellgraue Brust-
und Bauchflossen mit
dunkleren Spitzen

Kleine von Schleim bedeckte
Schuppen; Schuppenzahl/
Seitenlinie: 49–60

Hellbraune oder
bronzefarbene Seiten

Kleine Augen (Durchmesser
kleiner oder gleich mit der
Schnauzenlänge)

Kleiner Kopf

Maul fast unterständig,
rüsselartig vorstülpbar

# Zope *Abramis ballerus*

Die Zope ist ein wesentlich kleinerer Fisch als der Brachsen mit einem eingeschränkten Verbreitungsgebiet. Sie weist auch ein völlig unterschiedliches Fressverhalten auf (siehe unten). Wegen dieses Fressverhaltens wird die Zope üblicherweise nicht von Anglern gefangen und wird selten gegessen. Wenn die Bestimmung zweifelhaft ist, überprüfe man die Strahlen der Afterflosse und die Schuppenzahl der Seitenlinie sowie die Augengröße. Fischereiliche Bedeutung gering.

**Verbreitung:** Norddeutschland und Südschweden ostwärts über Polen und die baltischen Staaten bis nach Russland.

**Lebensraum:** Seen und sehr langsam fließende und pflanzenreiche Flussabschnitte.

**Nahrung:** Filtert planktische Kleinkrebse aus dem Freiwasser und nimmt auch Insektenlarven von Wasserpflanzen auf.

**Größe:** Maximallänge üblicherweise zwischen 25 und 30 cm, Gewicht um 400 g; ausnahmsweise bis zu 45 cm lang und 500 g schwer.

Lange und schlanke graue Rückenflosse (etwas nach hinten verschoben) mit kurzer Basis und 8–9 Weichstrahlen

Dunkel blaugrüner oder dunkel blaugrauer Rücken

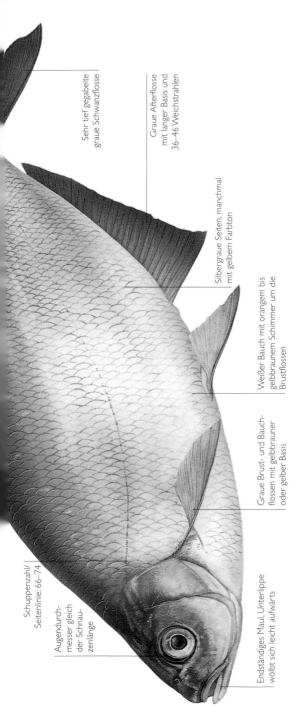

Sehr tief gegabelte
graue Schwanzflosse

Graue Afterflosse
mit langer Basis und
36–46 Weichstrahlen

Silbergraue Seiten, manchmal
mit gelbem Farbton

Weißer Bauch mit orangem bis
gelbbraunem Schimmer um die
Brustflossen

Graue Brust- und Bauch-
flossen mit gelbbrauner
oder gelber Basis

Schuppenzahl/
Seitenlinie: 66–74

Augendurch-
messer gleich
der Schnau-
zenlänge

Endständiges Maul, Unterlippe
wölbt sich leicht aufwärts

# Zobel *Abramis sapa*

Der Zobel ist die kleinste unter den Brachsenarten. Eine schnelle, sichere Bestimmung kann bewerkstelligt werden, indem man den viel längeren unteren Lappen der Schwanzflosse mit dem kürzeren oberen Lappen vergleicht. Ein weiteres Merkmal ist das große Auge. Der Zobel ist ein am Boden fressender Schwarmfisch. Fischereiliche Bedeutung gering, im Angelsport ebenso.

**Verbreitung:** Außer im Donaueinzugsgebiet wird diese Art auch in anderen Flüssen gefunden, die ins Schwarze oder Kaspische Meer münden.

**Lebensraum:** Breite, langsam fließende Flussstrecken (einschließlich des oberen Ästuarabschnitts), mit Schlamm- und Schlickablagerungen.

**Nahrung:** Mückenlarven, Würmer, Kleinkrebse, Schnecken und Erbsenmuscheln gehören zur Nahrung, die beim Wühlen im Flussbett aufgespürt wird.

**Größe:** Durchschnittliche Länge zwischen 15 und 20 cm, ausnahmsweise bis zu 30 cm und einem Gewicht von 750 g.

Tief gegabelte grau-braune Schwanzflosse mit längerem unteren Lappen

Lange, schlanke und spitze Rückenflosse mit kurzer Basis und 8–9 Weichstrahlen

Olivbrauner Rücken

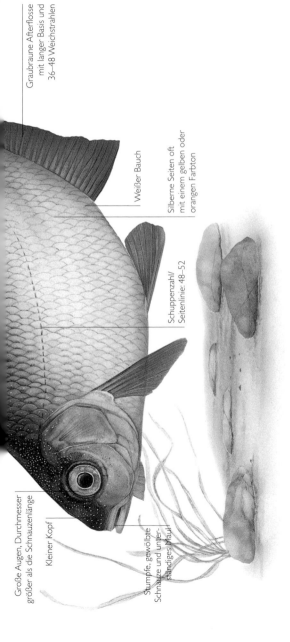

Graubraune Afterflosse mit langer Basis und 36–48 Weichstrahlen

Weißer Bauch

Silberne Seiten oft mit einem gelben oder orangen Farbton

Schuppenzahl/ Seitenlinie: 48–52

Große Augen, Durchmesser größer als die Schnauzenlänge

Kleiner Kopf

Stumpfe, gewölbte Schnauze und unterständiges Maul

# Güster *Blicca bjoerkna*

Es ist möglich, diese Art mit einem nicht erwachsenen Individuum einer der anderen Brachsenarten zu verwechseln, doch das Fehlen von Schleim auf dem Körper, die großen Augen und die rötlichen mit grauen Spitzen versehenen Flossen erlauben eine rasche und sichere Bestimmung. Der Güster ist weniger bodenorientiert als die anderen Brachsen. Fischereiliche Bedeutung in Mitteleuropa gering, im Angelsport ebenso.

**Verbreitung:** Frankreich und Südostengland ostwärts über Europa bis nach Russland außer dem hohen Norden und Süden.

**Lebensraum:** Pflanzenreiche Tieflandweiher und Seen, Kanäle, Entwässerungsgräben und langsam fließende Flüsse.

**Nahrung:** Wasserasseln, Schnecken, Erbsenmuscheln, Würmer und Mückenlarven werden vom Flussgrund aufgenommen; dazu Spezies wie Wasserläufer und Zooplankton im wasserpflanzenfreien Wasser.

**Größe:** Maximallänge üblicherweise 20–25 cm, Gewicht 0,4–0,7 kg; ausnahmsweise bis zu 30 cm und 1,1 kg schwer.

Dunkelgraue Rückenflosse mit kurzer Basis und 8–9 feineren Weichstrahlen

Hell olivbrauner oder graubrauner Rücken

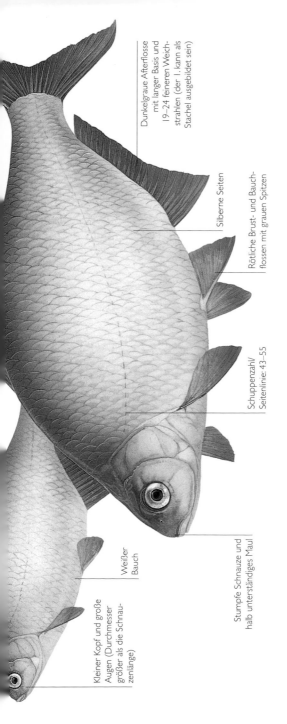

Dunkelgraue Afterflosse mit langer Basis und 19–24 feineren Weichstrahlen (der 1. kann als Stachel ausgebildet sein)

Silberne Seiten

Rötliche Brust- und Bauchflossen mit grauen Spitzen

Schuppenzahl/Seitenlinie: 43–55

Stumpfe Schnauze und halb unterständiges Maul

Kleiner Kopf und große Augen (Durchmesser größer als die Schnauzenlänge)

Weißer Bauch

# Zährte *Vimba vimba*

Die Abbildung zeigt unverkennbar ein Männchen im Laichkleid. Außerhalb der Laichzeit sind Flanken und Bauch gelbbraun und der Rücken heller. Das unterständige Maul und die sehr empfindliche fleischige Schnauze veranschaulichen, dass dieser Cyprinide ein bodenorientierter Fresser ist; in einem Jahr kann er innerhalb des Flusses Hunderte von Kilometern zurücklegen. Fischereilich nur in Osteuropa genutzt, im Angelsport geringe Bedeutung.

**Verbreitung:** Norddeutschland und Südschweden ostwärts nach Südfinnland, den baltischen Staaten und Russland; im Süden bis zum Schwarzen Meer.

**Lebensraum:** Unterlauf großer Flüsse bis zur Flussmündung, auch Seen im Zusammenhang mit einem Flusslauf.

**Nahrung:** Frisst Würmer (Tubificiden, Polychaeten), eine Anzahl von Kleinkrebsen, Mollusken und Insektenlarven. Diese werden aus dem Boden gewühlt, wenn sich die Zährtenschwärme durch den Flusslauf bewegen.

**Größe:** Übliche Maximallänge um 30 cm, Gewicht 500 g; ausnahmsweise bis zu 50 cm lang und 1 kg schwer.

Blaugraue Rückenflosse mit kurzer Basis und 8–11 Weichstrahlen

Blaugrauer oder schwärzlich olivfarbener Rücken

Von der Rückenflosse bis zur Schwanzflosse mäßig gekielt

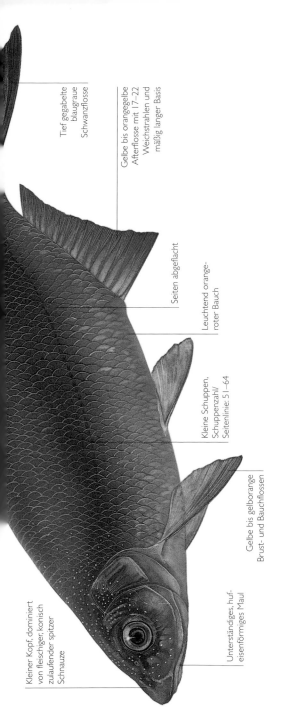

Kleiner Kopf, dominiert von fleischiger, konisch zulaufender spitzer Schnauze

Tief gegabelte blaugraue Schwanzflosse

Gelbe bis orangegelbe Afterflosse mit 17–22 Weichstrahlen und mäßig langer Basis

Seiten abgeflacht

Leuchtend orange-roter Bauch

Kleine Schuppen, Schuppenzahl/ Seitenlinie: 51–64

Gelbe bis gelborange Brust- und Bauchflossen

Unterständiges, huf-eisenförmiges Maul

# Ukelei *Alburnus alburnus*

Der kleine Ukelei tritt oft in so gewaltigen Schwärmen auf, dass Sportfischer bei einem fünfstündigen Wettbewerb alle 10 Sekunden einen Fisch fangen können. Die silbernen Schuppen fanden früher bei der Herstellung von Nagellack und künstlichen Perlen Verwendung. Fischereilich und im Angelsport ohne Bedeutung.

**Verbreitung:** Frankreich und Südostengland ostwärts bis nach Russland, aber nicht im Norden von Fennoskandia und dem arktischem Russland oder Italien sowie in den Adria-Anrainerländern.

**Lebensraum:** Langsam fließende Flüsse und Seen.

**Nahrung:** Ukeleischwärme nehmen hauptsächlich Insektenpuppen und -nymphen im Freiwasser auf, die zum Schlüpfen aufsteigen; außerdem Fliegen an der Wasseroberfläche, planktische Krebstiere sowie pflanzliches Material wie Algen und Blätter von Unterwasserpflanzen.

**Größe:** Maximallänge üblicherweise zwischen 12 und 15 cm; ausnahmsweise bis zu 18 cm.

**Andere ähnliche Art:** Weißer Ukelei (*A. albidus*) in Norditalien und in Anrainerländern der Südadria bis nach Griechenland.

Kleiner Kopf mit sehr großen Augen (Durchmesser 2-mal die Schnauzenlänge)

Tief gegabelte
hellgraue
Schwanzflosse

Seiten und Bauch
glänzend silberfarben

Schuppenzahl/Seitenlinie:
46–55 (Schuppen fallen
sehr leicht aus)

Gebrochen weiße Brust- und Bauchflossen, manchmal mit leichtem rötlichen Ton an der Basis (orangefarben
während der Laichzeit)

Oberständiges Maul
mit vorstehendem
Oberkiefer

Blaugrüner Rücken

Hellgraue Rückenflosse
mit 8–9 Weichstrahlen

Deutlich
gekielter Bauch

Gebrochen weiße
Afterflosse mit
17–21 Weichstrahlen

# Schemaja *Chalcalburnus chalcoides*

Die Schemaja wird innerhalb ihres Verbreitungsgebietes häufig in ähnlichen Gewässern wie der Ukelei (S. 112 f.) gefunden. Bei dieser Art lösen sich die Schuppen nicht so leicht wie beim Ukelei ab; das Auge ist kleiner, die seitliche Schuppenzahl der Seitenlinie ist größer, und die Flanken sind abgeflachter. Sie ist ebenfalls ein Schwarmfisch des Freiwassers. Wichtiger Speisefisch; wird auch mit der Angel gefangen.

**Verbreitung:** Flüsse, die zum Schwarzen und Kaspischen Meer fließen; auch in Bergseen in Österreich.

**Lebensraum:** Langsam fließende, oft pflanzenreiche Flüsse und saubere Seen.

**Nahrung:** Frisst hauptsächlich Mückenpuppen, planktische Krebstiere im Freiwasser und Anfluginsekten.

**Größe:** Maximallänge 15–20 cm, gelegentlich bis zu 25 cm und ausnahmsweise größer.

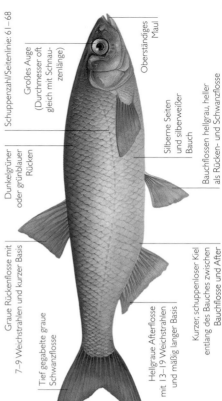

Schuppenzahl/Seitenlinie: 61–68

Oberständiges Maul

Großes Auge (Durchmesser oft gleich mit Schnauzenlänge)

Dunkelgrüner oder grünblauer Rücken

Silberne Seiten und silberweißer Bauch

Graue Rückenflosse mit 7–9 Weichstrahlen und kurzer Basis

Bauchflossen hellgrau, heller als Rücken- und Schwanzflosse

Tief gegabelte graue Schwanzflosse

Hellgraue Afterflosse mit 13–19 Weichstrahlen und mäßig langer Basis

Kurzer, schuppenloser Kiel entlang des Bauches zwischen Bauchflosse und After

# Schneider *Alburnoides bipunctatus*

Der Schneider ist ein charakteristisch gekennzeichneter Verwandter des Ukeleis. Die Art bewohnt klare Bäche und Seen, wo sich die Schwärme vergleichsweise mehr am Boden halten als die des Ukeleis (S. 112 f.). Man weiß wenig über sein Verhalten. Fischereilich und im Angelsport ohne Bedeutung.

**Verbreitung:** Frankreich ostwärts bis Russland, nicht in Fennoskandia und Nordrussland; im Süden bis zum Schwarzen Meer.

**Lebensraum:** Saubere Fließgewässer mit Kies- oder Steingrund sowie Seen.

**Nahrung:** Insektenlarven und -nymphen sowie Krebstiere und Anfluginsekten.

**Größe:** Maximallänge 10–12 cm; ausnahmsweise 15 cm.

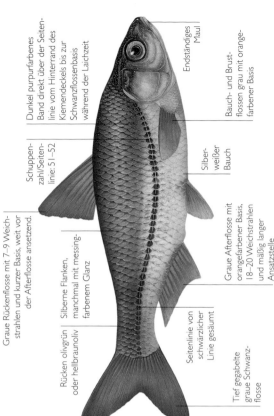

Graue Rückenflosse mit 7–9 Weichstrahlen und kurzer Basis, weit vor der Afterflosse ansetzend.

Dunkel purpurfarbenes Band direkt über der Seitenlinie vom Hinterrand des Kiemendeckels bis zur Schwanzflossenbasis während der Laichzeit

Schuppenzahl/Seitenlinie: 51–52

Rücken olivgrün oder hellbraunoliv

Silberne Flanken, manchmal mit messingfarbenem Glanz

Endständiges Maul

Silberweißer Bauch

Bauch- und Brustflossen grau mit orangefarbener Basis

Seitenlinie von schwärzlicher Linie gesäumt

Graue Afterflosse mit orangefarbener Basis, 18–20 Weichstrahlen und mäßig langer Ansatzstelle

Tief gegabelte graue Schwanzflosse

# Rapfen *Aspius aspius*

Der Rapfen ist ein stromlinienförmiger, kraftvoller Raubfisch mit dem Potenzial, zu einem wirklich Kapitalen abwachsen zu können, was ihn zu einem sehr beliebten Beutefisch für Angler macht. In der 2. Hälfte des 20. Jahrhunderts war ein starker Rückgang der Art zu verzeichnen, sodass sie heute in großen Teilen ihres Verbreitungsgebietes ziemlich selten geworden ist. Fischereiliche Bedeutung gering, außer im Schwarzen Meer.

**Verbreitung:** Nordostholland und Norddeutschland ostwärts durch Südfennoskandia nach Russland und im Süden in Schwarzmeerzuflüssen.

**Lebensraum:** Große Flusseinzugsgebiete und Seen; flussabwärts bis zu den Flussmündungen.

**Nahrung:** Junge Rapfen sind insektenfressende Schwarmfische. Später wechselt die Nahrung auf kleine Fische, und sie erbeuten auch Amphibien und kleine Vögel wie z. B. Teichhuhnküken.

**Größe:** Maximallänge über 60 cm, Gewicht 3,75 kg; ausnahmsweise bis zu 1,2 m lang und 12 kg schwer.

Großes Maul leicht nach oben abgewinkelt

Unterkiefer erstreckt sich leicht über den Oberkiefer hinaus, besitzt eine dicke Lippe und passt in eine Kerbe des Oberkiefers

Relativ großer Kopf mit spitzer Schnauze

Silberne Seiten

Dunkelolivgrüner Rücken

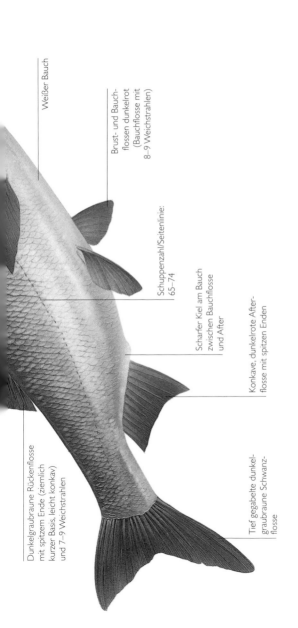

Weißer Bauch

Brust- und Bauch-
flossen dunkelrot
(Bauchflosse mit
8–9 Weichstrahlen)

Schuppenzahl/Seitenlinie:
65–74

Scharfer Kiel am Bauch
zwischen Bauchflosse
und After

Konkave, dunkelrote Afterflosse mit spitzen Enden

Dunkelgraubraune Rückenflosse
mit spitzem Ende (ziemlich
kurzer Basis, leicht konkav)
und 7–9 Weichstrahlen

Tief gegabelte dunkel-
graubraune Schwanz-
flosse

# Barbe *Barbus barbus*

Dies ist die verbreitetste der verschiedenen europäischen Spezies. Ihr Name leitet sich von den berührungs- und geschmackssensitiven Barteln ab, die sie am unterständigen Maul trägt – eine Anpassung an eine Nahrungsaufnahme am Flussgrund. Umgebogen erreichen die vorderen Barteln nicht die Nasenlöcher. Als kraftvolle Fische sind Barben bei Anglern sehr beliebt. Fischereiliche Bedeutung gering; grätenreiches, aber wohlschmeckendes Fleisch.

**Verbreitung:** West- und Mitteleuropa, einschließlich Südostengland, im Osten bis nach Russland und dem Schwarzen Meer. In Teile Westgroßbritanniens eingeführt; fehlt in Irland, Schottland und Fennoskandia.

**Lebensraum:** Mittel- und Unterläufe sauberer Flüsse.

**Nahrung:** Wirbellose des Flussgrundes einschließlich Flohkrebsen, Insektenlarven und -nymphen, Würmern und Schnecken.

**Größe:** Maximallänge 60 cm, Gewicht 3 kg; ausnahmsweise bis zu 90 cm und 8,5 kg.

**Ähnliche Arten:** Die Iberische Barbe (*B. bocagei*) und die Portugiesische Barbe (*B. comiza*) kommen auf der Iberischen Halbinsel vor; die Südbarbe (*B. plebejus*) tritt in Italien und Slowenien auf.

Relativ lange, zugespitzte, dunkelbräunliche Rückenflosse mit kurzer Basis, langem gezackten Strahl an der Vorderseite und 11–12 Weichstrahlen

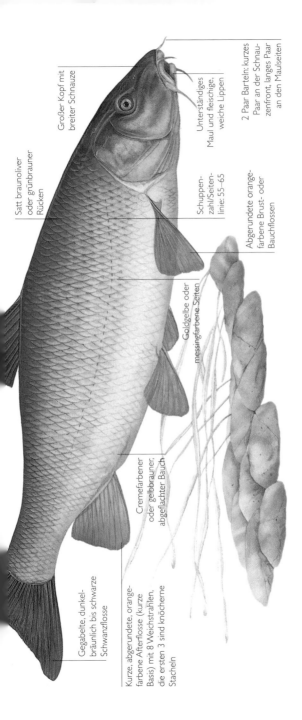

Großer Kopf mit breiter Schnauze

Satt braunoliver oder grünbrauner Rücken

Unterständiges Maul und fleischige, weiche Lippen

2 Paar Barteln: kurzes Paar an der Schnauzenfront, langes Paar an den Maulseiten

Schuppenzahl/Seitenlinie: 55–65

Abgerundete orangefarbene Brust- oder Bauchflossen

Goldgelbe oder messingfarbene Seiten

Cremefarbener oder gelbbrauner, abgeflachter Bauch

Kurze, abgerundete, orangefarbene Afterflosse (kurze Basis) mit 8 Weichstrahlen, die ersten 3 sind knöcherne Stacheln

Gegabelte, dunkelbräunlich bis schwarze Schwanzflosse

# Hundsbarbe *Barbus meridionalis*

Die Hundsbarbe aus dem zentralen Südeuropa ist viel kleiner als die Barbe (siehe S. 118f.). Für eine sichere Unterscheidung beachte man die vorderen Barteln, die umgebogen bis zu den Nasenlöchern reichen. Die Färbung des Rückens ist üblicherweise gefleckter als bei der Barbe. Auch neigt die Hundsbarbe dazu, höher gelegene Flussabschnitte zu besiedeln als die Barbe. Fischereiliche Bedeutung gering, im Angelsport gebietsweise stärker befischt.

**Verbreitung:** Zentralspanien ostwärts über Südfrankreich und Norditalien und Slowenien. Im Süden bis nach Griechenland und im Osten im Donaueinzugsgebiet verbreitet.

Dunkelbraun-schwarze Rückenflosse mit kurzer Basis und 10–12 hellbraunen Weichstrahlen; der 1. ist ein langer, gezähnter knöcherner Stachel, die nächsten 3 sind kurze Strahlen

**Lebensraum:** Ober- und Mittelläufe von Flüssen einschließlich seichter Bäche.

**Nahrung:** Wirbellose des Flussgrundes, darunter Köcherfliegenlarven, Eintagsfliegen- und Steinfliegennymphen, Bachflohkrebse und Wasserschnecken.

**Größe:** Maximallänge zwischen 20 und 25 cm, Gewicht um 800 g.

**Andere verwandte Art:** Der kleine Semling (*B. peloponnesius*) aus Zentralgriechenland und den Anrainerländern der Ostadria steht in enger Verwandtschaft zur Hundsbarbe.

Tief gegabelte dunkelbraune bis schwarze Schwanzflosse mit hellbraunen Strahlen

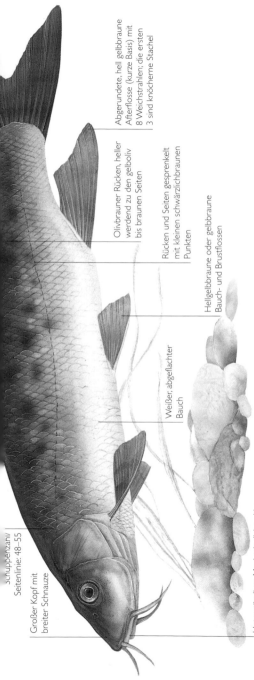

Abgerundete, hell gelbbraune Afterflosse (kurze Basis) mit 8 Weichstrahlen; die ersten 3 sind knöcherne Stachel

Olivbrauner Rücken, heller werdend zu den gelboliv bis braunen Seiten

Rücken und Seiten gesprenkelt mit kleinen schwärzlichbraunen Punkten

Hellgelbbraune oder gelbbraune Bauch- und Brustflossen

Weißer, abgeflachter Bauch

Schuppenzahl/ Seitenlinie: 48–55

Großer Kopf mit breiter Schnauze

Unterständiges Maul mit dicken Lippen; 2 Paar Barteln (eines an der Schnauzenfront, eines auf jeder Mundseite)

# Thraker Barbe *Barbus cyclolepis*

Diese Art, die auf Flüsse in Südosteuropa beschränkt ist, kann von den anderen Spezies (siehe S. 118–121) durch ihren rundlichen Bauch und die kurzen Barteln unterschieden werden. Biegt man das vordere Bartelpaar um, reicht es nur etwa bis zur halben Strecke zu den Nasenlöchern; das hintere Paar gleicht in der Länge dem Augendurchmesser (bei anderen Barben länger). Fischereiliche Bedeutung gering, im Angelsport gebietsweise stärker befischt.

**Verbreitung:** Nordgriechenland und Türkei sowie Flüsse, die zu den Süd- und Ostufern des Schwarzen Meeres entwässern.

**Lebensraum:** Mittellauf sauberer Flüsse.

**Nahrung:** Wirbellose des Flussbetts einschließlich Mücken- und Köcherfliegenlarven, Eintagsfliegen- und Steinfliegennymphen, Schnecken und Flohkrebse.

**Größe:** Maximallänge zwischen 20 und 25 cm, Gewicht um 500 g; ausnahmsweise über 30 cm und 1 kg.

**Andere ähnliche Arten:** Euboea-Barbe *(B. euboicus)* von der griechischen Insel Euboea und die Griechische Barbe *(B. graecus)* vom Fluss Sperchios und dem Paralimni- sowie Yliki-See.

Großer Kopf mit unterständigem Maul

Olivbrauner Rücken

Schuppenzahl/Seitenlinie: 49–55

Braune Rückenflosse mit kurzer Basis und langem zugespitzten Ende sowie 10–12 Weichstrahlen; der I. ist ein langer, gezähnter Strahl

2 Paar kurze Barteln (das Front-paar ist sehr kurz)

Hell rotbraune Bauch- und Brustflossen

Weißer oder cremefarbener abgerundeter Bauch

Goldolivfarbene Seiten

Afterflosse (kurze Basis) mit langem, spitzem Ende und 8 Weichstrahlen; die ersten 3 sind knöcherne Stachel

# Gründling *Gobio gobio*

Oberflächlich ähnelt der Gründling einer kleinen Barbe. Aber anstelle von 2 Paar Barteln hat der Gründling nur 1 Paar. Diese Barteln sind kürzer als der doppelte Augendurchmesser. Der Fisch ist ein bodenorientierter Fresser, der selten ins Freiwasser abwandert. Fischereiliche Bedeutung gering, im Angelsport ohne Bedeutung.

**Verbreitung:** Kantabrisches Gebirge und Pyrenäen (Spanien) ostwärts durch Frankreich und Südostgroßbritannien bis nach Asien, nicht Nord-Fennoskandia, Italien und an die Adria grenzende Länder. Eingeführt in Westgroßbritannien und Irland.

**Lebensraum:** Saubere Flüsse, Seen und Kanäle.

**Nahrung:** Zumeist Larven, Puppen und Nymphen von Wasserinsekten; auch Flohkrebse und Schnecken.

**Größe:** Maximallänge 8–10 cm; ausnahmsweise bis zu 20 cm.

Tief gegabelte hellbraune Schwanzflosse mit dunklen Flecken

Grün- oder olivbrauner Rücken

Hellbraune Rückenflosse mit kurzer Basis, dunklen Flecken und 9–11 Weichstrahlen

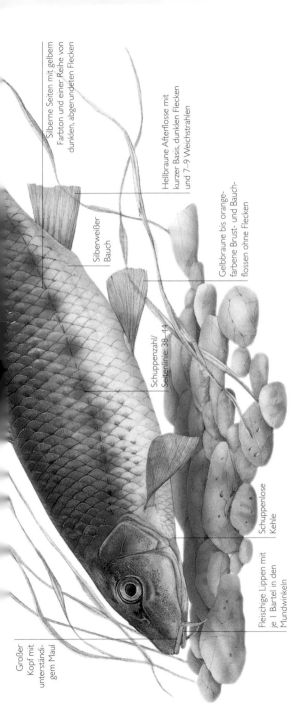

Silberne Seiten mit gelbem Farbton und einer Reihe von dunklen, abgerundeten Flecken

Hellbraune Afterflosse mit kurzer Basis, dunklen Flecken und 7–9 Weichstrahlen

Silberweißer Bauch

Gelbbraune bis orange-farbene Brust- und Bauch-flossen ohne Flecken

Schuppenzahl/ Seitenlinie: 38–44

Schuppenlose Kehle

Großer Kopf mit unterständi-gem Maul

Fleischige Lippen mit je 1 Bartel in den Mundwinkeln

# Weißflossiger Gründling *Gobio albipinnatus*

Die Flossen des Weißflossigen Gründlings sind zwar nicht weiß sondern zeigen ein blasses Olive oder Braunolive, tragen aber keine Fleckenzeichnung. Die Barteln sind viel länger als beim Gründling (S. 124 f.); das 2- bis 3-Fache des Augendurchmessers. Dieser kleine Fisch kommt nur in Südosteuropa vor. Fischereilich und im Angelsport ohne Bedeutung.

**Größe:** Maximallänge zwischen 10 und 12 cm.

**Verbreitung:** Unterläufe der Donau sowie weiterer Flüsse, die zum Schwarzen und Kaspischen Meer fließen.

**Lebensraum:** Langsam fließende, schlammgründige Flüsse.

**Nahrung:** Hauptsächlich Mückenlarven und -puppen, die vom Flussgrund aufgenommen werden, dazu an-

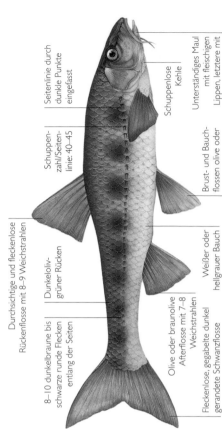

Durchsichtige und fleckenlose Rückenflosse mit 8–9 Weichstrahlen

Schuppen-zahl/Seiten-linie: 40–45

Seitenlinie durch dunkle Punkte eingefasst

Dunkeloliv-grüner Rücken

8–10 dunkelbraune bis schwarze runde Flecken entlang der Seiten

Schuppenlose Kehle

Olive oder braunolive Afterflosse mit 7–8 Weichstrahlen

Brust- und Bauch-flossen olive oder braunolive

Weißer oder hellgrauer Bauch

Unterständiges Maul mit fleischigen Lippen, letztere mit 1 Paar langer Barteln

Fleckenlose, gegabelte dunkel gerandete Schwanzflosse

# Kesslers Gründling *Gobio kessleri*

**Größe:** Maximallänge meist 8–11 cm.

Kesslers Gründling besitzt lange Barteln (das 2- bis 3-Fache des Augendurchmessers). Bauch und Kehle sind schuppenlos, Rücken- und Schwanzflosse mit dunklen Fleckenreihen. Ein Fisch der schnell fließenden, felsigen Gewässer in Mitteleuropa und, weil nachtaktiv, leicht zu übersehen. Fischereilich und im Angelsport ohne Bedeutung.

**Verbreitung:** Nebenflüsse des Ober- und Mittellaufs der Donau und des Dnjestr.

**Lebensraum:** Felsige, schnell fließende saubere Gewässer.

**Nahrung:** Bodenorientierte Nahrungsaufnahme, kleine Flussbettwirbellose wie Eintagsfliegen- und Steinfliegennymphen, Köcherfliegen und kleine Schnecken.

Tief gegabelte Schwanzflosse mit schwach ausgebildeten dunklen Punkten, die 2-reihig entlang der Flossengabelung angeordnet sind

Rückenflosse mit 8 Weichstrahlen

Schuppenzahl/Seitenlinie: 40–42

Großer Kopf mit breitem, unterständigem Maul

Fleischige Lippen mit je 1 langen Bartel in jedem Maulwinkel

Hell olivgraue Flossen

Grünbrauner Rücken

Silberne Seiten mit dunklen Flecken

Weißer Bauch (unterseits schuppenlos)

Afterflosse mit 8 Weichstrahlen

# Steingressling *Gobio uranoscopus*

Nur im Donaueinzugsgebiet nachgewiesen. Diese Art ähnelt Kesslers Gründling (siehe S. 127). Die Bartellänge beträgt das 2- bis 3-Fache des Augendurchmessers, dazu kommen dunkle Fleckenbinden auf Schwanz- und Rückenflosse; der ganze Körper ist beschuppt. Leicht zu übersehen, da nachtaktiv. Fischereilich und im Angelsport ohne Bedeutung.

**Verbreitung:** Obere Nebenflüsse der Donau.

**Lebensraum:** Schnelle, turbulente, felsige Flüsse.

**Nahrung:** Bodenorientierte Nahrungsaufnahme, Flussbettwirbellose einschließlich Eintagsfliegen- und Steinfliegennymphen, kleine Schnecken.

**Größe:** Maximallänge 12 cm.

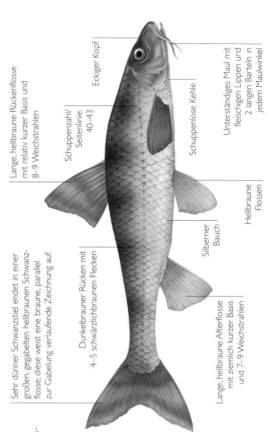

Sehr dünner Schwanzstiel endet in einer großen, gegabelten hellbraunen Schwanzflosse; diese weist eine braune, parallel zur Gabelung verlaufende Zeichnung auf

Lange, hellbraune Rückenflosse mit relativ kurzer Basis und 8–9 Weichstrahlen

Schuppenzahl/ Seitenlinie: 40–43

Eckiger Kopf

Schuppenlose Kehle

Unterständiges Maul mit fleischigen Lippen und 2 langen Barteln in jedem Maulwinkel

Hellbraune Flossen

Dunkelbrauner Rücken mit 4–5 schwärzlichbraunen Flecken

Silberner Bauch

Lange, hellbraune Afterflosse mit ziemlich kurzer Basis und 7–9 Weichstrahlen

# Barbengründling *Aulopyge hügeli*

Dieser kleine Fisch ähnelt einem schuppenlosen Gründling mit 2 Paar Barteln (ähnlich den Barben). Wegen ihres versteckten Lebensraumes in einer entlegenen Gegend Südosteuropas ist wenig über die Fischart bekannt. Fischereilich und im Angelsport ohne Bedeutung.

**Verbreitung:** Dalmatien, Bosnien und Herzegowina.

**Lebensraum:** Gebirgsflüsse und -seen einschließlich unterirdischen Fließgewässern.

**Nahrung:** Bodenorientierte Nahrungsaufnahme, selten im Freiwasser. Wirbellose einschließlich Eintagsfliegen- und Steinfliegennymphen, Mückenlarven, kleine Schnecken und Kleinkrebse.

**Größe:** Maximallänge 10–13 cm.

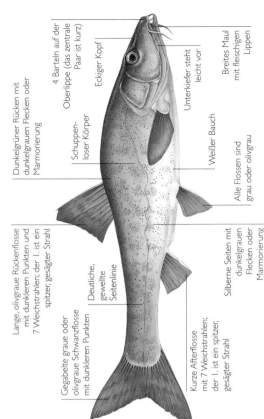

Dunkelgrüner Rücken mit dunkelgrauen Flecken oder Marmorierung

4 Barteln auf der Oberlippe (das zentrale Paar ist kurz)

Eckiger Kopf

Unterkiefer steht leicht vor

Breites Maul mit fleischigen Lippen

Weißer Bauch

Schuppenloser Körper

Alle Flossen sind grau oder olivgrau

Silberne Seiten mit dunkelgrauen Flecken oder Marmorierung

Kurze Afterflosse mit 7 Weichstrahlen; der 1. ist ein spitzer, gesägter Strahl

Deutliche, gewellte Seitenlinie

Gegabelte graue oder olivgraue Schwanzflosse mit dunkleren Punkten

Lange, olivgraue Rückenflosse mit dunkleren Punkten und 7 Weichstrahlen; der 1. ist ein spitzer, gesägter Strahl

# Schleie *Tinca tinca*

Die Schleie, ein Liebling der Angler, ist ein Sommerfisch, der Winterruhe hält. Ihr kräftiger, massiger Körperbau mit den rundlichen Flossen, die Olivfärbung (es gibt eine seltene goldene Form) und die kleinen roten Augen verhindern eine Verwechslung mit anderen europäischen Fischen. Ein geschätzter Speisefisch.

**Verbreitung:** Fast ganz Europa außer Nordschottland, Island, Nord-Fennoskandia und Russland sowie Anrainerländer der Ostadria. Nach Irland und Westgroßbritannien eingeführt.

**Lebensraum:** Pflanzenreiche, langsam fließende Gewässer, Tieflandseen und Kanäle.

**Nahrung:** Fast die gesamte Nahrung wird vom Boden aufgenommen, dort

gründelt der Fisch im Schlamm und Schlick nach Wirbellosen wie Mückenlarven und Wasserasseln. Gründelnde Schleien erkennt man an einer Vielzahl kleiner Blasen an der Wasseroberfläche.

**Größe:** Maximallänge um 60 cm, Gewicht 2 kg; ausnahmsweise bis zu 8 kg.

Kurzer; breiter Kopf

Gelbolive, bronzefarbene oder olivbraune Seiten

Körper mit kleinen Schuppen bedeckt und mit durchsichtigem Schleim überzogen

Rückenflosse mit 8–9 Weichstrahlen

Dunkel olivbrauner oder bräunlichschwarzer Rücken

Schuppenzahl/ Seitenlinie: 87–120

Kleine orange oder rote Augen (Durchmesser halbe Schnauzenlänge)

Kleines endständiges Maul mit kleinen, dünnen Barteln an jedem Maulwinkel

Dunkle Schwanzflosse am Ende eines breiten, kräftigen Schwanzstiels

Große abgerundete Flossen, gewöhnlich braun oder olivbraun

Afterflosse mit 6–9 Weichstrahlen

# Nase *Chondrostoma nasus*

Die 7 Arten der europäischen Nasen sind einzigartig unter den Cypriniden, da sie Algen von Steinen abweiden und hierfür ihre raspelähnliche untere Lippe benutzen. Die Nase ist die häufigste und am weitesten verbreitete Spezies unter 3 sehr ähnlichen, nahe verwandten Arten. Gebietsweise als Speisefisch begehrt, im Angelsport gebietsweise geangelt.

**Verbreitung:** Von Frankreich ostwärts durch Mitteleuropa bis Russland (weder Nordeuropa noch der extreme Süden).

**Lebensraum:** Mittel- und Oberlauf von Flüssen mit Geröll- oder Felsgesteinbett.

**Nahrung:** Ein Schwarmfisch, der Algen (Kieselalgen und Fadenalgen) von Steinen abweidet. Wahrschein-

lich nimmt er mit den Algen einige tierische Nahrung auf. Es wurde über die Aufnahme von Wirbellosen berichtet.

**Größe:** Maximallänge üblicherweise um 40 cm, ausnahmsweise 50 cm.

**Andere ähnliche Arten:** Der Iberische Näsling (*C. polylepis*) ersetzt die Nase in Spanien und Portugal, der Lau (*C. genei*) in Nord- und Mittelitalien und die Italienische Nase (*C. soetta*) im Poeinzugsgebiet.

Tief gegabelte dunkelgraue Schwanzflosse mit abgerundeten Enden

Dunkelgraue Rückenflosse mit kurzer Basis und 9–13 Weichstrahlen; Basis etwas vor der Bauchflossenbasis

Hellrote Afterflosse mit 10–12-Weichstrahlen

Silbern bis gräulich mit olivfarbener Tönung an den Seiten

Hell rotbraune Bauch- und Brust-flossen

Silberner bis weißer Bauch mit gelb-braunem Farbton

Grüngrauer oder olivgrauer Rücken

Schuppenzahl/Seitenlinie: 57–63

Kleiner Kopf mit stumpfer, knolliger Nase

Unterständiges, schlitzähnliches Maul mit einer scharfen und hornigen Unterlippe

# Südwesteuropäischer Näsling *Chondrostoma toxostoma*

Diese Art ähnelt oberflächlich betrachtet der Nase (S. 132f.), aber das Maul ist mehr in Hufeisenform gebogen, die Flossen sind gelb, und die Rückenflossenbasis liegt auf der gleichen (gedachten) Linie wie die Bauchflossenbasis. Wie alle Nasen weist der Fisch ein spezialisiertes Fressverhalten auf. Fischereilich und im Angelsport keine bis geringe Bedeutung.

**Verbreitung:** Zentralspanien, Pyrenäen und Südostfrankreich.

**Lebensraum:** Obere und mittlere Strecken von Flüssen mit Felsgrund; auch in einigen Bergseen.

**Nahrung:** Schabt Algen mit der Unterlippe vom Gestein ab; Nahrungsaufnahme im Schwarm.

**Größe:** Maximallänge 20–25 cm; ausnahmsweise bis zu 30 cm.

**Andere ähnliche Art:** Der Dalmatinische Näsling (*C. kneri*) kommt in Flüssen vor, die zur dalmatinischen Küste entwässern.

Dunkelgraugelbe Rückenflosse mit kurzer Basis und 9 Weichstrahlen; Basis in einer (gedachten) Linie mit Bauchflossenbasis

Dunkelblauer oder olivgrüner Rücken

Dunkelgraue bis gelbe Schwanzflosse

Unterständiges, hufeisenförmiges Maul

Gelbliche Afterflosse mit kurzer Basis und 9 Weichstrahlen

Silberne Seiten mit gelbem Anflug

Silberner bis weißer Bauch

Schuppen-zahl/Seiten-linie: 52–56

Gelbliche Brust- und Bauchflossen

Weiche Oberlippe, hornige Unterlippe mit Raspelrand

# Elritzennäsling *Chondrostoma phoxinus*

Die gelben Flossen und das hufeisenförmige Maul könnten zu einer Verwechslung des Elritzen-Näslings mit dem Südwesteuropäischen Näsling (siehe S. 134f.) führen, aber die höhere Seitenlinienschuppenzahl, geringe Größe und isolierte Verbreitung beugen diesem vor. Auch diese Art ist ein spezialisierter Algenfresser. Fischereilich und im Angelsport ohne Bedeutung.

**Verbreitung:** Flüsse, die zur dalmatinischen Küste entwässern.

**Lebensraum:** Durchströmte Vertiefungen und seichte Abschnitte mit Grundgestein- oder Felsblockbett.

**Nahrung:** Frisst Algen, die er mit seiner hartrandigen Unterlippe vom Gestein schabt.

**Größe:** Durchschnittliche Länge 6 cm; Maximum bis zu 8 cm.

Gegabelte dunkelbraune Schwanzflosse mit abgerundeten Enden

Dunkelbraune Rückenflosse mit kurzer Basis und 11 Weichstrahlen

Schuppenzahl/-Seitenlinie: 85–90

Spitze Nase (aber nicht knollig wie bei anderen Nasenarten)

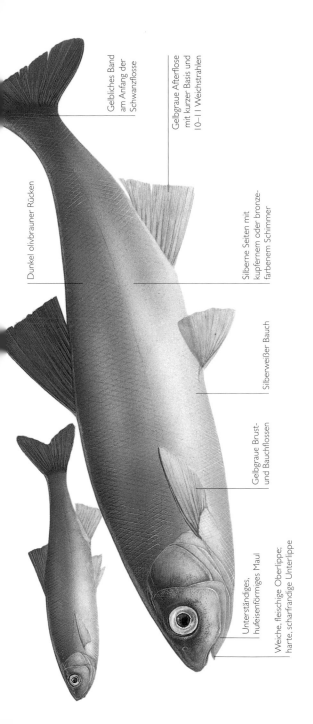

Dunkel olivbrauner Rücken

Gelbliches Band am Anfang der Schwanzflosse

Gelbgraue Afterflosse mit kurzer Basis und 10–11 Weichstrahlen

Silberne Seiten mit kupfernem oder bronzefarbenem Schimmer

Silberweißer Bauch

Gelbgraue Brust- und Bauchflossen

Unterständiges, hufeisenförmiges Maul

Weiche, fleischige Oberlippe; harte, scharfrandige Unterlippe

# Graskarpfen *Ctenopharyngodon idella*

In Körperform und Aussehen dem Döbel (S. 78 f.) ähnlich, jedoch mit breitem, oben und unten abgeflachten Kopf. Maul leicht unterständig. Große Schuppen mit dunklem Rand. Als Beifische wurden Graskarpfen in Karpfenteiche eingesetzt, andernorts sollten sie als Vertilger großer Mengen an Wasserpflanzen pflanzenreiche Teiche, Weiher und Seen entkrauten. Wärmeliebende Art, die bei 22–26 °C ablaicht. Bei uns wurde nur in seltenen Fällen (in warmen Sommern) ein Ablaichen beobachtet. Fischereiliche Bedeutung: Beifisch in Karpfenzuchten, in Teilen Osteuropas und Asiens größere Bedeutung; im Angelsport gelegentlich gefangen.

**Verbreitung:** Heimat Ostasien; heute in Europa weit verbreitet. Im Jahr 1965 nach Deutschland zu Zuchtzwecken eingeführt. Auch als Besatzfisch für Gartenteiche häufig angeboten.

**Lebensraum:** Langsam fließende Flüsse und Seen.

**Nahrung:** In der Jugend werden wirbellose Wassertiere gefressen, ab einer Größe von etwa 6–10 cm Wasserpflanzen jeglicher Art. Pro Tag können bis zu 120 % des eigenen Körpergewichtes (bis 60 kg) aufgenommen werden.

**Maße:** Maximallänge 1,0–1,2 m, Gewicht bis 60 kg.

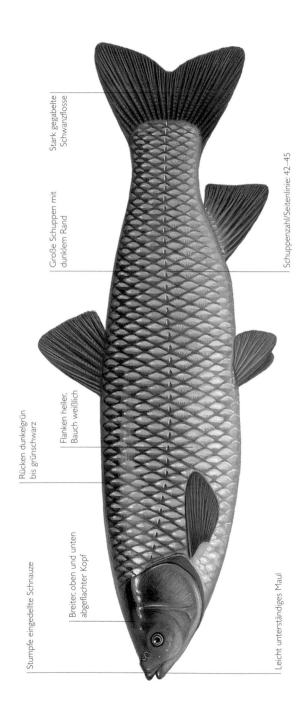

Stumpfe eingedellte Schnauze

Rücken dunkelgrün bis grünschwarz

Breiter, oben und unten abgeflachter Kopf

Flanken heller, Bauch weißlich

Leicht unterständiges Maul

Große Schuppen mit dunklem Rand

Stark gegabelte Schwanzflosse

Schuppenzahl/Seitenlinie: 42–45

# Silberkarpfen *Hypophthalmichthys molitrix*

Silbergrau gefärbter Fisch mit kleinen Schuppen. Große oberständige Maulspalte. Augen liegen unterhalb der halben Kopfhöhe. Kielförmige Bauchkante. Wärmeliebende Art, die bei 23–24 °C ablaicht, deshalb ist in Mitteleuropa eine Vermehrung unter natürlichen Bedingungen nicht möglich. In China laichen die Tiere ins freie Wasser ab. Bis zum Schlüpfen der Larven treiben die Eier in Fließgewässern und Seen frei im Wasser. Fischereiliche Bedeutung: Beifisch in Karpfenzuchten, in Teilen Osteuropas und Asiens größere Bedeutung; im Angelsport gelegentlich gefangen.

**Verbreitung:** Heimat Ostasien. Durch Besatzmaßnahmen in Mittel- und Osteuropa weit verbreitet. Wird auch als Besatzfisch für Gartenteiche angeboten.

**Lebensraum:** Im Ursprungsland China in großen Strömen und deren Nebenflüssen sowie Seen.

**Nahrung:** Jungtiere ernähren sich zunächst von Zooplankton. Später gehen die Jungfische (5–10 cm) zu einer Ernährung mit Phytoplankton über. Mit dem Kiemenreusenapparat werden Algen aus dem Wasser gefiltert.

**Größe:** Länge bis 100 cm.

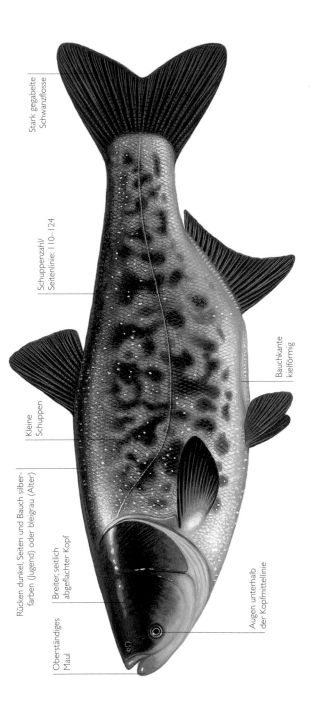

Stark gegabelte Schwanzflosse

Schuppenzahl/ Seitenlinie: 110–124

Bauchkante kielförmig

Kleine Schuppen

Rücken dunkel, Seiten und Bauch silber- farben (Jugend) oder bleigrau (Alter)

Breiter, seitlich abgeflachter Kopf

Oberständiges Maul

Augen unterhalb der Kopfmittellinie

# Marmorkarpfen *Hypophthalmichthys nobilis*

Der braungrün gefärbte Fisch ist hochrückiger als der Silberkarpfen. Auffällig großer, zugespitzer Kopf mit oberständigem, großem Maul. Bauch von den Bauchflossen bis zur Afterflosse gekielt. Die kleinen Augen liegen noch tiefer als beim Silberkarpfen. Warmwasserfisch, der zum Ablaichen eine Wassertemperatur von 25 °C benötigt. Aus der ehemaligen Sowjetunion sind Kreuzungen mit dem Silberkarpfen bekannt. Fischereiliche Bedeutung: Beifisch in Karpfenzuchten, in Teilen Osteuropas und Asiens größere Bedeutung; im Angelsport gelegentlich gefangen.

**Verbreitung:** Heimat Ostasien, zu Zuchtzwecken in Mittel- und Osteuropa (u. a. in Zuflüssen des Asowschen, Schwarzen und Kaspischen Meeres) eingeführt. Wird auch als Besatzfisch für Gartenteiche angeboten.

**Lebensraum:** Langsam fließende, tiefe Fließgewässer und Seen.

**Nahrung:** Bei Temperaturen unter 19 °C wasserlebende Wirbellose (u. a. Würmer, Insektenlarven, Schnecken), aber auch Kleinfische. Bei höheren Temperaturen werden Planktonalgen gefressen.

**Größe:** Maximallänge 1,9–2,0 m.

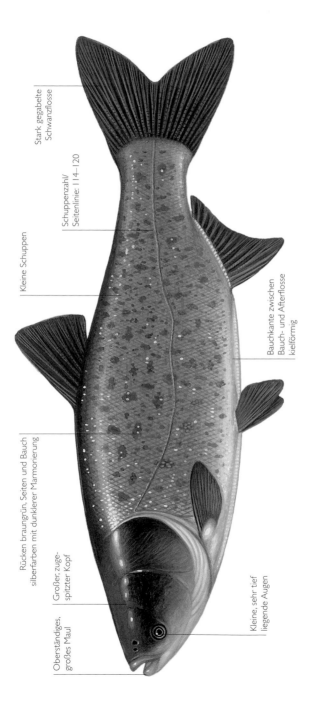

Stark gegabelte
Schwanzflosse

Schuppenzahl/
Seitenlinie: 114–120

Kleine Schuppen

Bauchkante zwischen
Bauch- und Afterflosse
kielförmig

Rücken braungrün, Seiten und Bauch
silberfarben mit dunklerer Marmonierung

Großer, zuge-
spitzter Kopf

Oberständiges,
großes Maul

Kleine, sehr tief
liegende Augen

# Blaubandbärbling *Pseudorasbora parva*

Der Blaubandbärbling gehört zu den Cypriniden. Kennzeichen sind ein langgestreckter, schwach hochrückiger Körper, das oberständige Maul und silberne Flanken, die ein bläuliches Band aufweisen. Die aus Asien stammende Art wurde in Rumänien als Raubfischfutter eingebürgert und in den 1980er-Jahren mit gemischten Besatzlieferungen nach Westeuropa eingeschleppt. Eier werden in Ketten abgelegt und vom Männchen bewacht. Fischereilich und im Angelsport ohne Bedeutung.

**Verbreitung:** Ursprünglich Asien; heute in Westeuropa (u. a. in Rhein und Neckar).

**Lebensraum:** Fließgewässer und Seen, meist in der Uferzone zwischen Wasserpflanzen.

**Nahrung:** Überwiegend Wirbellose und Kleinkrebse.

**Größe:** Länge zwischen 5 und 10 cm.

Seiten mit silbrigem Glanz

Je nach Lichteinfall gut erkennbares blaues Band (Name!)

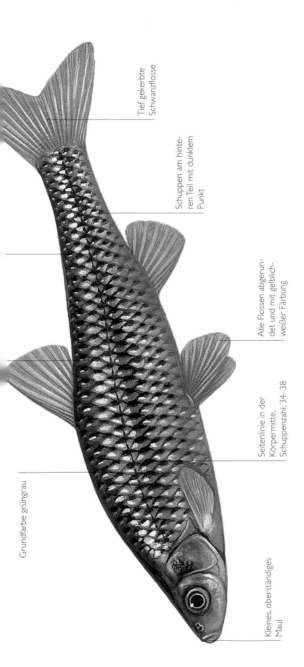

Tief gekerbte Schwanzflosse

Schuppen am hinteren Teil mit dunklem Punkt

Alle Flossen abgerundet und mit gelblichweißer Färbung

Seitenlinie in der Körpermitte, Schuppenzahl: 34–38

Grundfarbe grüngrau

Kleines, oberständiges Maul

# Bestimmung von Cypriniden-Hybriden

Cypriniden laichen üblicherweise in Schwärmen ab, wobei sich die unterschiedlichen Arten oft die gleichen Lokalitäten in Flüssen oder Seen teilen. Die Weibchen legen ihre Eier ab, und die Männchen setzen Wolken von Sperma frei, welches im Wasser über die Eier driftet und diese befruchtet. Folglich ist es besonders dort, wo die Populationen umfangreich sind, nicht ungewöhnlich, dass das Sperma einer Spezies die Eier einer anderen befruchtet. So sind in vielen Seen und Flüssen Europas, in denen Brachsen, Rotauge und Rotfeder sehr häufig auftreten, Hybriden (Mischlinge) von Brachsen × Rotauge, Brachsen × Rotfeder und Rotauge × Rotfeder üblich.

Hybriden zeigen üblicherweise charakteristische Eigenschaften beider Elternspezies oder Merkmale, die zwischen denen beider Elternarten liegen.

Zu den Elternarten des unten abgebildeten Rotauge × Brachsen-Hybrids vgl. die Angaben S. 90f. und S. 102 f.

Die häufigsten Hybriden sind: Rotauge × Brachsen, Rotauge × Ukelei, Rotauge × Güster, Rotauge × Rotfeder, Karpfen × Karausche, Rotfeder × Hasel, Rotfeder × Brachsen, Rotfeder × Güster, Rotfeder × Ukelei, Brachsen × Güster, Ukelei × Döbel, Ukelei × Hasel, Ukelei × Güster.

**Abbildung:** Rotauge × Brachsen-Hybride.

Augendurchmesser etwa gleich mit der Schnauzenlänge

Ähnliches Maul wie beim Rotauge

Blaugrauer oder graubrauner Rücken, höher als beim Rotauge

Rückenflosse mit 9 Weichstrahlen

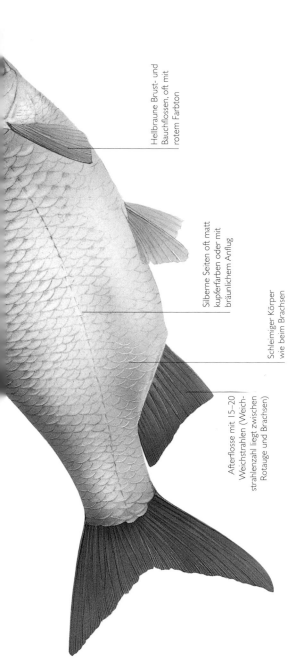

Hellbraune Brust- und Bauchflossen, oft mit rotem Farbton

Silberne Seiten oft matt kupferfarben oder mit bräunlichem Anflug

Schleimiger Körper wie beim Brachsen

Afterflosse mit 15–20 Weichstrahlen (Weichstrahlenzahl liegt zwischen Rotauge und Brachsen)

# Bachschmerle *Noemacheilus barbatulus*

Schmerlen sind kleine, schlanke Bodenfische, die immer mehr als 2 Paar Barteln um das Maul tragen. Bachschmerlen werden oft übersehen, weil sie hauptsächlich nachtaktiv sind, sich am Tag verstecken und gut getarnt sind. Fischereilich und im Angelsport ohne Bedeutung.

**Verbreitung:** Pyrenäen und Südostgroßbritannien ostwärts durch Mitteleuropa bis nach Russland; eingeführt nach Westgroßbritannien und Irland.

**Lebensraum:** Saubere Flüsse und Seen; üblicherweise solche mit Geröllgrund.

**Nahrung:** Einzelgänger, der Kleinstalgen, kleine Krebstiere sowie Insektenlarven und -puppen frisst.

**Größe:** Maximallänge zwischen 8 und 12 cm; ausnahmsweise bis zu 15 cm.

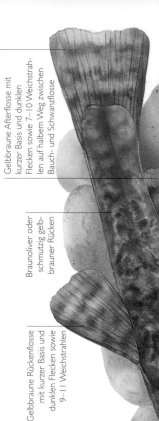

Schwach eingebuchtete gelbbraune Schwanzflosse mit dunklen Flecken und abgerundeten Ecken

Gelbbraune Afterflosse mit kurzer Basis und dunklen Flecken sowie 7–10 Weichstrahlen auf halbem Weg zwischen Bauch- und Schwanzflosse

Braunoliver oder schmutzig gelbbrauner Rücken

Gelbbraune Rückenflosse mit kurzer Basis und dunklen Flecken sowie 9–11 Weichstrahlen

Bauchflossen gegenüber der Rückenflosse in der Körpermitte

Hellgelber, mit Schleim bedeckter Körper

Hellgelbbraune Seiten mit unregelmäßigen dunklen graubraunen Flecken

Dunkle Fleckenzeichnung auf gelbbraunen Bauch- und Brustflossen

Kleine Schuppen, Seitenlinie nur am Beginn sichtbar

Unterständiges Maul mit 6 Barteln (4 vorne am Oberkiefer, 2 in den Maulwinkeln)

Relativ kleiner Kopf

# Schlammpeitzger *Misgurnus fossilis*

Ein Fisch, der in kleinen Tümpeln mit geringem Sauerstoffgehalten existieren kann. Der volkstümliche Name »Wetterfisch« leitet sich aus dem Verhalten des Fisches ab, der zur Oberfläche schwimmt, um Luft zu schlucken, wenn sich schwül-gewittriges Wetter einstellt. Er gräbt sich auch im Schlammgrund ein, um beim Austrocknen der Gewässer zu überleben. Fischereilich und im Angelsport ohne Bedeutung.

**Verbreitung:** Von Zentralfrankreich ostwärts (nicht auf den Britischen Inseln) durch Mitteleuropa bis nach Russland.

**Lebensraum:** Weiher und vegetationsreiche Kleingewässer.

**Nahrung:** Nächtliche Nahrungsaufnahme, frisst Mückenlarven, Wasserasseln und andere kleine aquatische Wirbellose.

**Größe:** Länge üblicherweise zwischen 12 und 25 cm; ausnahmsweise bis zu 35 cm.

Hell gelbbraune Flossen mit dunklen Flecken, manchmal Bänder bildend, besonders auf der Schwanzflosse

Sich in Punkte auflösende Linien oder Streifen entlang des Schwanzstiels

Kleine abgerundete Afterflosse mit 5–6 Weichstrahlen, näher zu den Bauchflossen als zur Schwanzflosse positioniert

Graubrauner oder gelbbrauner Rücken zu sandfarbenen Seiten übergehend

Rückenflosse mit kurzer Basis und 9–11 Weichstrahlen

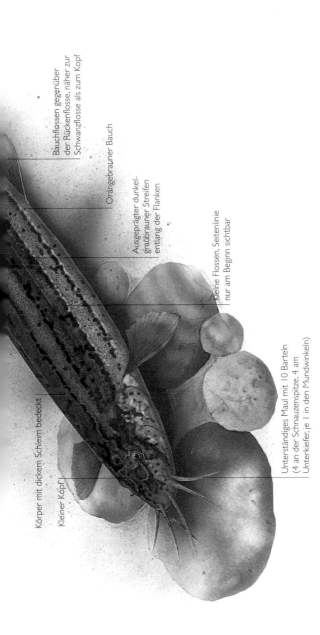

Bauchflossen gegenüber
der Rückenflosse, näher zur
Schwanzflosse als zum Kopf

Orangebrauner Bauch

Ausgeprägter dunkel-
graubrauner Streifen
entlang der Flanken

Kleine Flossen, Seitenlinie
nur am Beginn sichtbar

Körper mit dickem Schleim bedeckt

Kleiner Kopf

Unterständiges Maul mit 10 Barteln
(4 an der Schnauzenspitze, 4 am
Unterkiefer, je 1 in den Mundwinkeln)

# Steinbeißer, Dorngrundel *Cobitis taenia*

Wegen seiner nächtlichen Lebensweise (tagsüber gräbt er sich im Schlamm ein) wird dieser Fisch leicht übersehen. Der Steinbeißer bewohnt Fließgewässer und Seen. Er kann Luft von der Oberfläche schlucken, wenn der Sauerstoffgehalt im Gewässer fällt. Der kleine Dorn, der ihm seinen zweiten Namen gibt, ist durch sanftes Streicheln über die Kopfstelle direkt unter den Augen fühlbar. Fischereilich und im Angelsport ohne Bedeutung.

**Verbreitung:** Fast in ganz Europa außer Island, Irland, Nordwestgroßbritannien, den größten Teil Fennoskandias, Nordrussland und Südgriechenland.

**Lebensraum:** Sehr träge fließende Flüsse, Seen und Kanäle.

**Nahrung:** Der größte Teil der Nahrung wird beim Durchwühlen von Schlamm und Detritus aufgenommen, vor allem werden kleine Wirbellose selektiert.

**Größe:** Durchschnittliche Länge 5 cm; ausnahmsweise bis zu 12 cm.

**Andere ähnliche Arten:** Spanische Populationen sind in *C. calderoni* (Nordspanien) und *C. maroccana* getrennt worden (Südspanien). Rumänische Populationen bestehen aus *Sabanejewia romanica*, italienische aus *S. larvata*. Der Balkan-Steinbeißer (*C. elongata*) ist aus Balkanflüssen, der Gold-Steinbeißer (*C. aurata*) aus der Donau bekannt.

Hell gelbbraune Rückenflosse mit kurzer Basis und 7–10 Weichstrahlen

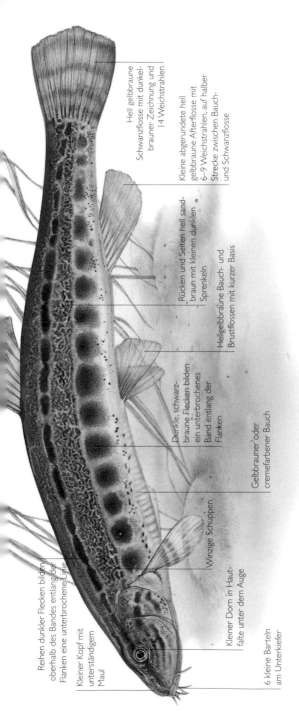

Reihen dunkler Flecken bilden oberhalb des Bandes entlang der Flanken eine unterbrochene Linie

Kleiner Kopf mit unterständigem Maul

6 kleine Barteln am Unterkiefer

Kleiner Dorn in Hautfalte unter dem Auge

Winzige Schuppen

Dunkle, schwarzbraune Flecken bilden ein unterbrochenes Band entlang der Flanken

Gelbbrauner oder cremefarbener Bauch

Rücken und Seiten hell sandbraun mit kleinen dunklen Sprenkeln

Hellgelbbraune Bauch- und Brustflossen mit kurzer Basis

Hell gelbbraune Schwanzflosse mit dunkelbrauner Zeichnung und 14 Weichstrahlen

Kleine abgerundete hell gelbbraune Afterflosse mit 6–9 Weichstrahlen, auf halber Strecke zwischen Bauchund Schwanzflosse

# Wels, Waller *Siluris glanis*

Der Wels oder Waller ist die größte stationäre Süßwasserfischart in Europa (der Stör wandert ins Meer). Er ist ein kraftvoller, nachtaktiver und solitär lebender Raubfisch. Bei Sportfischern ist er so beliebt, dass er in viele Gebiete eingeführt wurde. Die wärmeliebende Art hält Winterruhe. Fischereiliche Bedeutung: Speisefisch, aber nur gelegentlich gefangen.

**Verbreitung:** Ostdeutschland und Polen ostwärts durch Osteuropa, aber nach Nordeuropa noch südlich der Alpen; nach Westdeutschland, Frankreich, Spanien und England eingeführt.

**Lebensraum:** Seen und tiefe Niederungsflüsse.

**Nahrung:** Hauptsächlich kleinere Fische; auch die Aufnahme von Wassergeflügel und amphibischen Säugetieren wurde beobachtet.

**Größe:** Üblicherweise 100–200 cm, Maximallänge bis zu 300 cm, langsames Wachstum: 2–10 kg in 10 Jahren, aber nach 15–20 Jahren bis zu 200 kg; ausnahmsweise bis zu 310 kg.

Helle Flecken auf dem Rücken und dunklere Flecken auf den Seiten verleihen ein marmoriertes Aussehen

Kleine braunschwarze oder blauschwarze Rückenflosse mit 3–5 Weichstrahlen

Schleimige, schuppenlose Haut

2 lange, dünne Barteln am Oberkiefer

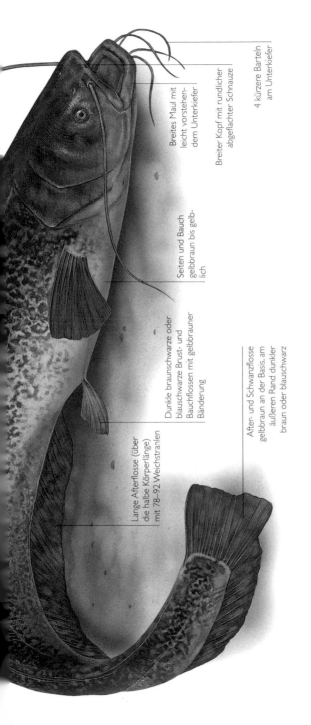

Breites Maul mit leicht vorstehendem Unterkiefer

Breiter Kopf mit rundlicher abgeflachter Schnauze

4 kürzere Barteln am Unterkiefer

Seiten und Bauch gelbbraun bis gelblich

Dunkle braunschwarze oder blauschwarze Brust- und Bauchflossen mit gelbbrauner Bänderung

After- und Schwanzflosse gelbbraun an der Basis, am äußeren Rand dunkler braun oder blauschwarz

Lange Afterflosse (über die halbe Körperlänge) mit 78–92 Weichstrahlen

# Aristoteleswels *Siluris aristotelis*

Kleiner als der Waller (siehe S. 154 f.), besitzt diese Art nur 2 Paar Barteln und ist auf Griechenland beschränkt. Ein dämmerungs- und nachtaktiver Einzelgänger, der kleinere Beutetiere als der europäische Wels aufnimmt. Fischereiliche Bedeutung nicht bekannt.

**Verbreitung:** Im Fluss Acheloos sowie in den Seen Amvrakia, Azeros, Jannina, Lyssimachia, Trichonis und Volvi (Griechenland).

**Lebensraum:** Seen und tiefe, langsam fließende Flüsse.

**Nahrung:** Große Wirbellose, Amphibien und kleinere Fische.

**Größe:** Länge zwischen 40 cm und 1 m; ausnahmsweise bis zu 1,5 m.

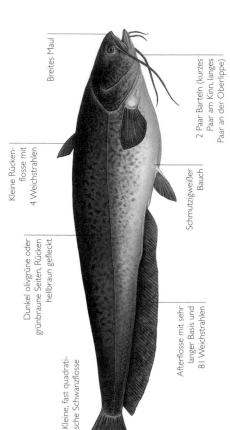

Breites Maul

Kleine Rückenflosse mit 4 Weichstrahlen

Dunkel olivgrüne oder grünbraune Seiten, Rücken hellbraun gefleckt

Kleine, fast quadratische Schwanzflosse

Afterflosse mit sehr langer Basis und 81 Weichstrahlen

Schmutzigweißer Bauch

2 Paar Barteln (kurzes Paar am Kinn, langes Paar an der Oberlippe)

# Zwergwels *Ictalurus nebulosus*

Aus Nordamerika 1885 eingeführter, bodenorientierter, dämmerungs- und nachtaktiver Fisch. Zur Ablage der Eier wird ein grubenartiges »Nest« aus Pflanzenmaterial unter Steinen, Wurzeln oder im überhängenden Uferbereich angelegt. Das Männchen bewacht das Gelege und die Larven. Fischereilich und im Angelsport ohne Bedeutung.

**Verbreitung:** Vereinzelt überall in Europa.

**Lebensraum:** In Nordamerika in warmen stehenden und fließenden Gewässer. In Europa in ähnlichen Gewässern. Oft auch in Parkteiche, Baggerseen und andere künstliche Gewässer von Aquarianern ausgesetzt.

**Nahrung:** Wirbellose Wassertiere, später auch Eier und Brut anderer Fische sowie Amphibienlarven.

**Größe:** In Europa üblicherweise 20–30 cm; bis zu 45 cm in Nordamerika.

**Andere ähnliche Art:** *I. melas* wurde ebenfalls aus Nordamerika nach Europa (Mittel- und Südtalien) eingeführt.

Rücken und Seiten dunkel olivbraun, zur Unterseite etwas heller

»Fettflosse«

Afterflosse mit 21–24 Weichstrahlen

Rückenflosse mit 7 Weichstrahlen (1. Strahl verknöchert)

Schuppenloser Körper

Bauch hell bis weißlich oder silbrig

8 Barteln (2 lange am Oberkiefer, 4 kürzere an Kopfunterseite, je 1 an den hinteren Nasenlöchern)

Zwergwels *Ictalurus nebulosus* | FAMILIE ZWERGWELSE (ICTALURIDAE) 157

# Quappe, Rutte *Lota lota*

Als einziger Süßwasservertreter der Dorschfamilie wird die Quappe in einigen Teilen Europas als begehrter Speisefisch geschätzt; dies gilt besonders für die Leber, die Vitamin-A-und-D-reiche Öle enthält. Die Fische sind während des Sommers hauptsächlich nachtaktiv, fressen unter den kältesten Winterbedingungen aber am Tag. Fischereiliche Bedeutung: gebietsweise Speisefisch; als Anglerfisch gebietsweise gefangen.

**Verbreitung:** Von Ostfrankreich ostwärts, außer im tiefen Süden. In Großbritannien ausgerottet.

**Lebensraum:** Saubere Tiefland-Seen und große langsam fließende Flüsse.

**Nahrung:** Größere Wirbellose (z. B. Reliktkrebschen, Süßwassermuscheln, Insektenlarven) und kleinere Fische werden sowohl vom Boden als auch aus dem Freiwasser aufgenommen.

**Größe:** Maximallänge über 50 cm, Gewicht um 1 kg; maximal 1,2 m.

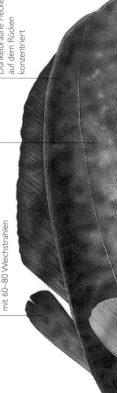

Grundfarbe gelboliv, mittelbraun oder sandfarben

Dunkelbraune Flecken auf dem Rücken konzentriert

2 Rückenflossen, eine kurze vordere mit 10–14 und eine lange hintere mit 60–80 Weichstrahlen

Lange Afterflosse mit 65–70 Weichstrahlen

Kleine, unauffällige, in der Haut versenkte Schuppen

Cremefarbener oder hell gelbbrauner Bauch

Sandbraune oder mittelbraune Flossen mit dunkler Musterung

2 kleine Barteln auf der Schnauze am Rand der Nasenlöcher

Großer Kopf mit breitem Maul und 1 einzelne Bartel am Kinn

# Dreistachliger Stichling *Gasterosteus aculeatus*

Dieser kleine stachelbewehrte Fisch gehört zu den bekanntesten Arten. Einige Populationen wandern zum Fressen ins Meer und sind nach ihrer Rückkehr silberfarben. Dreistachlige Stichlinge sind schuppenlos, doch einige Populationen besitzen Knochenplatten entlang der Seiten. Fischereilich und im Angelsport ohne Bedeutung.

**Verbreitung:** Fast ganz Europa, mit Ausnahme der Gebirgsregionen im Binnenland.

**Lebensraum:** Langsam fließende Flüsse, Kanäle, Seen und kleine Tümpel; auch saubere Flussmündungen.

**Größe:** Maximallänge 5 – 8 cm; bis zu 11 cm bei marin lebenden Exemplaren.

**Nahrung:** Wirbellose, einschließlich planktische Krebstiere, Insektenlarven, kleine Schnecken und Würmer.

**Abbildung:** Weibchen bei der Eiablage (unten), Männchen bewacht das Nest.

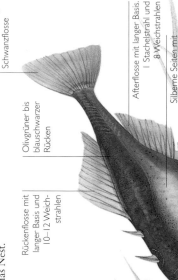

3. zuweilen 2 spitze Stachel vor der Rückenflosse

Rückenflosse mit langer Basis und 10 –12 Weichstrahlen

Olivgrüner bis blauschwarzer Rücken

Dünner Schwanzstiel mit fächerförmiger Schwanzflosse

Afterflosse mit langer Basis. I Stachelstrahl und 8 Weichstrahlen

Silberne Seiten mit schwarzen Sprenkeln

Große ausgeprägte Brust-
flossen mit bläuer, gelber
oder oliver Tönung

Rote Kehle

Beim Weibchen und
nicht paarungsbereiten
Männchen fehlt die
rote Kehle

Großer Kopf mit
leicht oberständigem
Maul und vorstehender
Unterlippe

# Neunstachliger Stichling *Pungitius pungitius*

Als einer der kleinsten europäischen Fische wird der Neunstachlige Stichling oft übersehen. Er bewohnt Gewässer, die im Sommer derart geringe Sauerstoffgehalte aufweisen können, dass dies die meisten anderen Fische nicht überleben würden. Fischereilich und im Angelsport ohne Bedeutung.

**Verbreitung:** Nordeuropa von Irland und Südgroßbritannien und Nordfrankreich ostwärts, aber nicht in Island, Nordschottland und Westnorwegen.

**Lebensraum:** Pflanzenreiche Tümpel, Seeränder und Stauwasser von Flüssen.

**Nahrung:** Hauptsächlich planktische Krebstiere, Mücken- und Moskitolarven sowie -puppen.

**Größe:** Maximallänge 5–7 cm.

**Abbildung:** Ablaichbreites Männchen (oben), Weibchen/Männchen außerhalb der Laichzeit (unten).

Rückenflosse mit langer Basis und 9–12 Weichstrahlen

Sehr schlanker Schwanzstiel

Fächerförmige Schwanzflosse

Dunkel blaugrüner bis brauner Rücken und Flanken

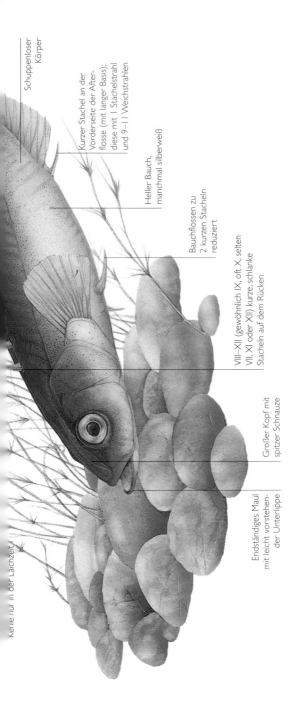

Keine nur in der Laichzeit

Schuppenloser Körper

Kurzer Stachel an der Vorderseite der After- flosse (mit langer Basis); diese mit 1 Stachelstrahl und 9–11 Weichstrahlen

Heller Bauch, manchmal silberweiß

Bauchflossen zu 2 kurzen Stacheln reduziert

VIII–XII (gewöhnlich IX, oft X, selten VII, XI oder XII) kurze, schlanke Stacheln auf dem Rücken

Großer Kopf mit spitzer Schnauze

Endständiges Maul mit leicht vorstehen- der Unterlippe

FAMILIE STICHLINGE (GASTEROSTEIDAE) 163

# Groppe *Cottus gobio*

Ein charakteristischer Fisch kleiner und sauberer geröllhaltiger Fließgewässer. Die Groppe wird oft übersehen, weil sie nachaktiv ist und sich tagsüber versteckt. Im Frühjahr verraten häufig Klumpen von großen gelben Eiern, die an der Unterseite von Geröll angeheftet sind, die Anwesenheit von großen, unbemerkten Populationen. Fischereilich und im Angelsport ohne Bedeutung.

**Verbreitung:** Von Nordspanien ostwärts bis nach Mittel- und Nordeuropa; nicht in Nordschottland und Irland.

**Lebensraum:** Saubere Flüsse und Seen, üblicherweise mit Geröllgrund.

**Nahrung:** Hauptsächlich Wirbellose, einschließlich Eintagsfliegen- und Steinfliegennymphen, Köcherfliegenlarven, Würmer, Flohkrebse sowie Fischeier und frisch geschlüpfte Brut.

**Größe:** Maximallänge um 10 cm; ausnahmsweise bis 16 cm.

Hell sandbrauner, grünbrauner oder mittelbrauner Rücken mit dunkelbrauner Marmorierung

2 mit feinen Häutchen verbundene Rückenflossen mit VI–IX Stachelstrahlen und 9–11 Weichstrahlen

Afterflosse mit langer Basis und 12–13 Weichstrahlen

Heller, cremefarbener Bauch

Unverhältnismäßig große Brustflossen

Seitenlinie auf jeder Seite mit einer Reihe von bis zu 35 Porenlöchern

Große Augen auf der Oberseite des Kopfes

Hell sandbraune Flossen mit dunklen, streifenähnlichen Flecken auf den Flossenstrahlen

Großer, abgeflachter Kopf

# Forellenbarsch *Micropterus salmoides*

Diese Art und weitere Vertreter der Sonnenfische wurden aus Nordamerika wegen ihrer Kämpferqualitäten an der Angel eingeführt. Der Fisch benötigt sehr warmes Wasser für die Vermehrung, und so ist es unwahrscheinlich, dass er sich in Nordeuropa etablieren wird. Fischereiliche Bedeutung gering, nur in Russland.

**Verbreitung:** Eingeführt nach Deutschland, Österreich, Holland, Frankreich, Belgien und Südengland.

**Lebensraum:** Seen und Kanäle; laicht nur in sehr warmem Wasser.

**Nahrung:** Kleinere Fische, Amphibien und große Wirbellose, die aus dem Hinterhalt überfallen werden.

**Größe:** Maximallänge 40–50 cm; gelegentlich bis zu 80 cm.

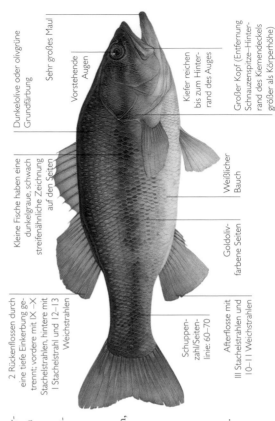

Dunkelolive oder olivgrüne Grundfärbung

Sehr großes Maul

Vorstehende Augen

Kiefer reichen bis zum Hinterrand des Auges

Großer Kopf (Entfernung Schnauzenspitze–Hinterrand des Kiemendeckels größer als Körperhöhe)

Kleine Fische haben eine dunkelgraue, schwach streifenähnliche Zeichnung auf den Seiten

2 Rückenflossen durch eine tiefe Einkerbung getrennt; vordere mit IX –X Stachelstrahlen, hintere mit I Stachelstrahl und 12–13 Weichstrahlen

Weißlicher Bauch

Goldolivfarbene Seiten

Schuppenzahl/Seitenlinie: 60–70

Afterflosse mit III Stachelstrahlen und 10–11 Weichstrahlen

# Sonnenbarsch *Lepomis gibbosus*

Ein schön gefärbter Fisch mit einem charakteristischen schwarzroten Fleck auf den Kiemendeckeln. Im Sommer in Ufernähe in etwa 1–2 m Tiefe anzutreffen, im Winter an tieferen Stellen. Ablage der Eier in Laichgruben; dann ausgeprägtes Revierverhalten. Fischereilich und im Angelsport bedeutungslos.

**Verbreitung:** Im Jahr 1877 nach Europa eingeführt. Heute stellenweise in West-, Mittel- und Osteuropa eingebürgert.

**Lebensraum:** Warme, pflanzenreiche Still- und Fließgewässer (meist im Uferbereich).

**Nahrung:** Wirbellose Wassertiere, Amphibienlarven, Fischlaich und Fischbrut.

**Größe:** Maximallänge 10–15 cm; selten bis zu 30 cm.

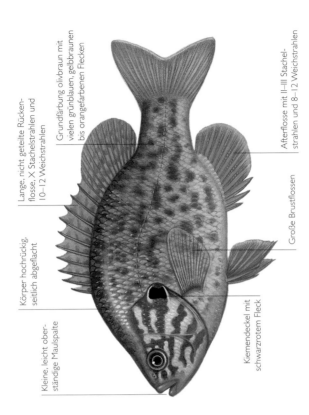

Kleine, leicht oberständige Maulspalte

Körper hochrückig, seitlich abgeflacht

Lange, nicht geteilte Rückenflosse, X Stachelstrahlen und 10–12 Weichstrahlen

Grundfärbung olivbraun mit vielen grünblauen, gelbbraunen bis orangefarbenen Flecken

Afterflosse mit II–III Stachelstrahlen und 8–12 Weichstrahlen

Kiemendeckel mit schwarzrotem Fleck

Große Brustflossen

# Flussbarsch *Perca fluviatlis*

Einer der bekanntesten europäischen Fische. In manchen Seen findet man riesige Schwärme von kleinen Individuen, während andere kleinere Populationen mit wesentlich größeren Fischen aufweisen. In den letzten Jahren hat eine Krankheit die Flussbarschbestände in vielen Seen fast ausgelöscht; die Ursache ist unbekannt. Ein geschätzter Speisefisch und beliebter Anglerfisch.

**Verbreitung:** Der größte Teil Europas östlich der Pyrenäen, nicht im hohen Norden und tiefen Süden.

**Lebensraum:** Seen, Kanäle und langsamere Flüsse.

**Nahrung:** Kleine Barsche fressen hauptsächlich Wirbellose, größere Individuen jagen kleinere Fische einschließlich des eigenen Nachwuchses.

**Größe:** Maximallänge 30–35 cm; Gewicht um 1,5 kg; ausnahmsweise bis zu 50 cm.

Lange, dunkel olivbraune Rückenflosse; vorderer Teil mit XIII–XVII Stachelstrahlen, hinterer Teil mit I–II Stachelstrahlen und 13–17 Weichstrahlen

4–6 deutliche schwärzliche breite Streifen verlaufen über die Seiten

Dunkeloliv-brauner Rücken

Afterflosse von 11 langen, spitzen Stachelstrahlen und 8–10 Weichstrahlen gestützt

Weißer oder cremefarbener Bauch

Leuchtend orange oder rote Bauch-, After- und Schwanzflosse(n)

Schuppenzahl/ Seitenlinie: 58–68

Helloliv- oder gold-olivfarbene Seiten

Graubraune bis olivbraune Brustflossen

Kleiner, drei-eckiger Kopf

Hinterrand des Kiemen-deckels endet in einem flachen, spitzen Stachel

Kurze Schnauze mit großem Maul

# Kaulbarsch *Gymnocephalus cernuus*

Die am weitesten verbreitete Spezies unter den Kaulbarschen ist ein sehr kleiner und hauptsächlich bodenorientierter Fisch. Obwohl die Tiere vorwiegend Wirbellose fressen, greifen sie auch kleine Fische an. Angler haben den Kaulbarsch in einigen Gebieten eingeführt, in denen er natürlicherweise nicht auftrat. Fischereilich und im Angelsport geringe Bedeutung.

**Verbreitung:** Südostgroßbritannien und Nordostfrankreich ostwärts durch Mittel- und Nordeuropa (nicht Island und Westskandinavien). In fast ganz Großbritannien (nicht Irland) sowie Nord- und Zentralfrankreich eingeführt.

**Lebensraum:** Langsam fließende Flüsse, Kanäle und Seen.

**Nahrung:** Insekten wie Köcherfliegen, Wasseraseln, Schnecken und Mückenlarven sowie die Eier und Brut anderer Fische.

**Größe:** Maximallänge 10–15 cm.

2 Rückenflossen deutlich verbunden; Vorderteil von XI–XVI Stachelstrahlen und hinterer Teil von 11–16 Weichstrahlen gestützt

Dunkel sandbrauner bis olivbrauner Rücken

Dunkelbraunes Fleckenmuster auf Rücken- und Schwanzflosse

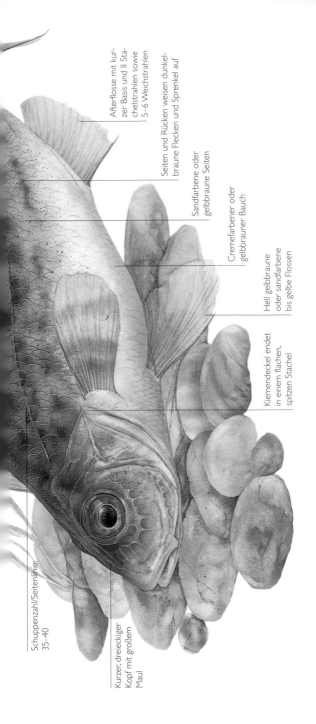

Schuppenzahl/Seitenlinie: 35–40

Kurzer, dreieckiger Kopf mit großem Maul

Kiemendeckel endet in einem flachen, spitzen Stachel

Hell gelbbraune oder sandfarbene bis gelbe Flossen

Cremefarbener oder gelbbrauner Bauch

Sandfarbene oder gelbbraune Seiten

Seiten und Rücken weisen dunkelbraune Flecken und Sprenkel auf

Afterflosse mit kurzer Basis und II Stachelstrahlen sowie 5–6 Weichstrahlen

# Schrätzer *Gymnocephalus schraetzer*

Eine in der Donau vorkommende Art, die anhand der sich über die Körperseiten erstreckenden Streifen leicht vom Kaulbarsch unterschieden werden kann. Der Schrätzer ist ein bodenorientierter, nachtaktiver Fisch, der tagsüber an tieferen Stellen ruht. Fischereilich und im Angelsport ohne Bedeutung.

**Verbreitung:** Donaueinzugsgebiet.

**Lebensraum:** Tiefe Stellen und Seitengewässer mit Sand- oder Kiesbett.

**Nahrung:** Hauptsächlich Wirbellose, u.a. Köcherfliegen, Mückenlarven und -puppen, Krebstiere, Schnecken, Würmer, auch Brut und Eier anderer Fische.

**Größe:** Maximallänge 15–20 cm; gelegentlich bis 25 cm.

**Andere verwandte Art:** Der Don-Kaulbarsch (*G. acerina*) kommt in Flüssen vor, die in den nördlichen Teil des Schwarzen Meeres münden.

Helloliver oder gelbbrauner Rücken

Große Augen

Lange Schnauze

Doppelte Rückenflosse; Hinterteil mit 12–14 Weichstrahlen, Vorderteil mit XVII Stachelstrahlen

Dunkelbraune Zeichnung auf der Rücken- und Schwanzflosse vermittelt den Eindruck fein gestreifter Flossen

Schuppenzahl/Seitenlinie: 55–64

Cremefarbener bis gelbbrauner Bauch, 3–5 dunkelbraune Streifen entlang der gelben Seiten

Gekerbte Schwanzflosse

Ziemlich kurze Afterflosse mit II Stachelstrahlen sowie 6–7 Weichstrahlen

# Balons Kaulbarsch *Gymnocephalus baloni*

Dieser sehr kleine Donau-Kaulbarsch kann leicht von anderen Kaulbarscharten unterschieden werden: Dunkelbraune Punkte konzentrieren sich zu 4–6 längs über den Körper laufenden Bändern. Ein schwarmbildender, bodenorientierter Fisch, der überwiegend nachtaktiv ist. Für Fischerei und Angelsport bedeutungslos.

**Verbreitung:** Flusseinzugsgebiet der Donau.

**Lebensraum:** Flussteile mit starker Strömung.

**Nahrung:** Wirbellose einschließlich Insektenlarven und kleine Krebstiere; auch Fischeier und -brut.

**Größe:** Maximallänge um 10 cm.

**Andere verwandte Art:** Die Art *Percarina demidoffi* tritt in Schwarzmeerzuflüssen auf.

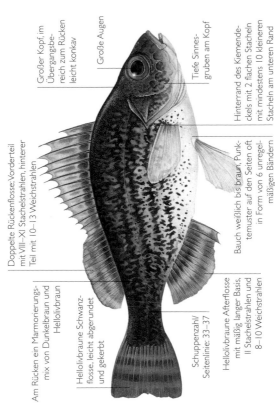

Großer Kopf; im Übergangsbereich zum Rücken leicht konkav

Große Augen

Tiefe Sinnesgruben am Kopf

Hinterrand des Kiemendeckels mit 2 flachen Stacheln mit mindestens 10 kleineren Stacheln am unteren Rand

Doppelte Rückenflosse: Vorderteil mit VIII–XI Stachelstrahlen, hinterer Teil mit 10–13 Weichstrahlen

Am Rücken ein Marmorierungsmix von Dunkelbraun und Helloliybraun

Helloliybraune Schwanzflosse, leicht abgerundet und gekerbt

Schuppenzahl/ Seitenlinie: 33–37

Helloliybraune Afterflosse mit mäßig langer Basis, II Stachelstrahlen und 8–10 Weichstrahlen

Bauch weißlich bis braun. Punktemuster auf den Seiten oft in Form von 6 unregelmäßigen Bändern

# Zander *Sander lucioperca*

Der Zander ist ein Mitglied der Barschfamilie, aber mit einem Fressverhalten, das an den Hecht erinnert. Ein beliebter Anglerfisch, der ursprünglich aus Mittel- und Osteuropa stammt und nach Westeuropa eingeführt wurde. Seine Augen schimmern manchmal opak – dies ist eine Anpassung an trübes Wasser. Ein begehrter Speisefisch.

**Verbreitung:** Von Nordostfrankreich ostwärts durch Mitteleuropa bis nach Russland. Nach Zentral- und Westfrankreich sowie England eingeführt.

**Lebensraum:** Langsam fließende Flussabschnitte, Seen und Kanäle.

**Nahrung:** Kleinere Fische. Der Zander jagt problemlos in trübem Wasser, in klarem Wasser ist er eher dämmerungsaktiv.

**Größe:** Maximallänge 0,9–1,1 m, Gewicht 5–7 kg.

**Andere ähnliche Art:** Wolga-Zander (*S. volgensis*) in Seen und Flüssen, die ins Schwarze Meer und in den Nordteil des Kaspischen Meeres fließen.

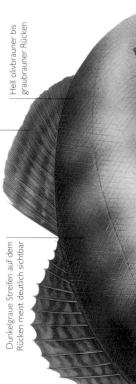

Doppelte, deutlich geteilte dunkel graubraune Rückenflosse; vordere von XIII–XVII langen, spitzen Stachelstrahlen, hintere von II Stachelstrahlen und 17–24 Weichstrahlen gestützt

Hell olivbrauner bis graubrauner Rücken

Dunkelgraue Streifen auf dem Rücken meist deutlich sichtbar

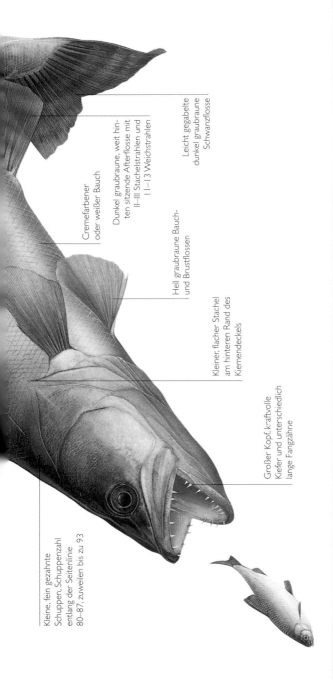

Kleine, fein gezähnte Schuppen, Schuppenzahl entlang der Seitenlinie 80–87, zuweilen bis zu 93

Großer Kopf, kraftvolle Kiefer und unterschiedlich lange Fangzähne

Kleiner, flacher Stachel am hinteren Rand des Kiemendeckels

Hell graubraune Bauch- und Brustflossen

Cremefärbener oder weißer Bauch

Dunkel graubraune, weit hinten sitzende Afterflosse mit II–III Stachelstrahlen und 11–13 Weichstrahlen

Leicht gegabelte dunkel graubraune Schwanzflosse

# Rhonestreber *Zingel asper*

Ein sehr seltener, kleiner zanderähnlicher Fisch, der von anderen ähnlichen Barsch-Familienmitgliedern durch Größe und Position der Rücken- und Afterflossen sowie durch die Form der Schnauze unterschieden werden kann. Der Rhonestreber tritt in nur einem Fluss auf. Fischereilich und im Angelsport ohne Bedeutung.

**Verbreitung:** Rhône.

**Lebensraum:** Ober- und Mittellauf der Rhône.

**Nahrung:** Dämmerungs- oder nachtaktiver Fresser; es werden Eintagsfliegen- und Steinfliegennymphen, Köcherfliegen, Flohkrebse und Schnecken aufgenommen.

**Größe:** Maximallänge um 15 cm.

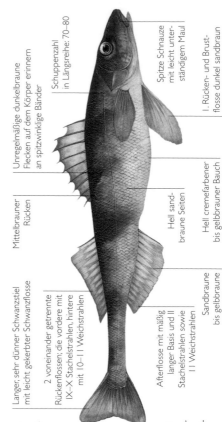

Unregelmäßige dunkelbraune Flecken auf dem Körper erinnern an spitzwinklige Bänder

Schuppenzahl in Längsreihe: 70–80

Mittelbrauner Rücken

Langer, sehr dünner Schwanzstiel mit leicht gekerbter Schwanzflosse

2 voneinander getrennte Rückenflossen; die vordere mit IX–X Stachelstrahlen, hintere mit 10–11 Weichstrahlen

Spitze Schnauze mit leicht unterständigem Maul

1. Rücken- und Brustflosse dunkel sandbraun gefärbt ohne Zeichnung

Hell sandbraune Seiten

Hell cremefarbener bis gelbbrauner Bauch

Afterflosse mit mäßig langer Basis und II Stachelstrahlen sowie 11 Weichstrahlen

Sandbraune bis gelbbraune Flossen

# Groppenbarsch *Romanichthys valsanicola*

Als ein kleiner, schlanker Verwandter des Zanders (S. 174 f.) wurde der Groppenbarsch erst 1957 in 3 rumänischen Flüssen entdeckt. Es ist möglich, dass er in 2 davon schon ausgerottet und im 3. Fluss selten ist. Fischereilich und im Angelsport ohne Bedeutung.

**Verbreitung:** Die Flüsse Argesul, Riul Doamnei und Vislan, Nebenflüsse des Arges in Rumänien.

**Lebensraum:** Schnell fließende und turbulente saubere Flüsse.

**Nahrung:** Wenig bekannt. Eintagsfliegen- und Steinfliegennymphen und Köcherfliegen dominieren wahrscheinlich.

**Größe:** Maximallänge um 12 cm.

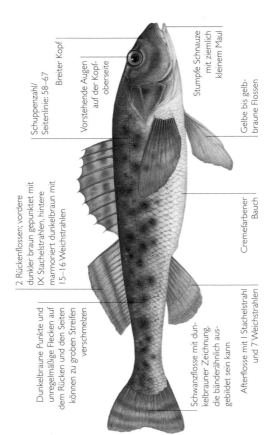

Schuppenzahl/ Seitenlinie: 58–67

Breiter Kopf

Vorstehende Augen auf der Kopfoberseite

Stumpfe Schnauze mit ziemlich kleinem Maul

Gelbe bis gelb-braune Flossen

2 Rückenflossen; vordere dunkler braun gepunktet mit IX Stachelstrahlen, hintere marmoriert dunkelbraun mit 15–16 Weichstrahlen

Dunkelbraune Punkte und unregelmäßige Flecken auf dem Rücken und den Seiten können zu groben Streifen verschmelzen

Cremefarbener Bauch

Schwanzflosse mit dunkelbrauner Zeichnung, die bänderähnlich ausgebildet sein kann

Afterflosse mit I Stachelstrahl und 7 Weichstrahlen

# Streber Zingel streber

Streber und Zingel sind 2 kleine zanderähnliche Fische des Donausystems. Der Streber ist der schlankere mit einem langen dünnen Schwanz; er neigt auch dazu, in kleineren Nebenflüssen aufzutreten als der Zingel. Wenn die Identität zweifelhaft ist, überprüfe man die Zahl der Seitenlinienschuppen und die der Weichstrahlen der Flossen. Fischereilich und im Angelsport ohne Bedeutung.

**Verbreitung:** Im gesamten Donaueinzugsgebiet.

**Lebensraum:** Kleine Nebenflüsse und Bergbäche.

**Nahrung:** Frisst hauptsächlich Flussbett-Wirbellose (u.a. Eintagsfliegen- und Steinfliegennymphen, Köcherfliegenlarven, Schnecken) ab Einbruch der Dunkelheit, dazu Eier und Brut anderer Fische.

**Größe:** Maximallänge 20–22 cm.

Kopf ziemlich breit auf der Oberseite, verjüngt sich zur Schnauzenspitze

Augen hoch am Kopf sitzend

Körperbeschuppung erstreckt sich bis auf die Oberseite des Kopfes

Kleines, leicht unterständiges Maul

1. Rücken- sowie Brustflossen ohne Sprenkel und dunkel sandbraun gefärbt

Sandfarbene bis gelbe Seiten mit 3–4 unregelmäßigen schwarzen Bändern, die spitz zulaufen

Afterflosse mit 1 Stachelstrahl sowie 10–12 Weichstrahlen

Schuppenzahl/Seitenlinie: 70–82

Langer, dünner Schwanzstiel mit leicht gekerbter Schwanzflosse

Dunkelbrauner Rücken

2 deutlich voneinander getrennte Rückenflossen; die vordere mit VIII–IX Stachelstrahlen, die hintere mit 11–13 Weichstrahlen

# Zingel *Zingel zingel*

Als schlanker, kleiner Verwandter des Zanders (S. 174 f.) kommt der Zingel in der Donau und im Dnjestr vor. Es ist eine nachaktive Art, ähnlich den 3 vorgenannten Spezies, und schwierig zu beobachten oder zu fangen. Für eine sichere Bestimmung überprüfe man die Seitenlinienschuppenzahl und die Flossenstrahlzahlen. Fischereilich und im Angelsport ohne Bedeutung.

**Verbreitung:** Donau und Dnjestr.

**Lebensraum:** Mittelläufe mit flachen Stellen und tiefen Gumpen.

**Nahrung:** Überwiegend Wirbellose: Eintagsfliegen- und Steinfliegennymphen, Flohkrebse, Schnecken. Auch kleine Fischbrut.

**Größe:** Meist bis zu 22 cm lang; ausnahmsweise 35–40 cm.

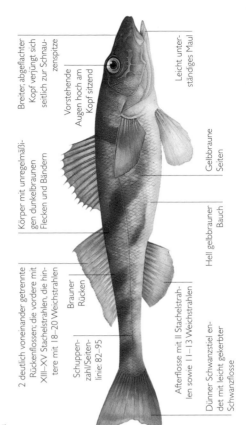

Breiter, abgeflachter Kopf verjüngt sich seitlich zur Schnauzenspitze

Körper mit unregelmäßigen dunkelbraunen Flecken und Bändern

Vorstehende Augen hoch am Kopf sitzend

Leicht unterständiges Maul

2 deutlich voneinander getrennte Rückenflossen; die vordere mit XIII–XV Stachelstrahlen, die hintere mit 18–20 Weichstrahlen

Brauner Rücken

Gelbbraune Seiten

Schuppenzahl/Seitenlinie: 82–95

Afterflosse mit II Stachelstrahlen sowie 11–13 Weichstrahlen

Hell gelbbrauner Bauch

Dünner Schwanzstiel endet mit leicht gekerbter Schwanzflosse

# Süßwasser-Schleimfisch *Blennius fluviatilis*

Schleimfische sind wohlbekannte Bewohner von Salzwasser-Felsentümpeln entlang der europäischen Küste, doch diese Spezies kommt auch im Süßwasser in Südeuropa vor. Man kann die Fische beobachten, wenn sie auf Felsblöcken ausruhen und mit abgestützten Brustflossen den Kopf hochhalten, um nach potenzieller Nahrung Ausschau halten. Fischereilich und im Angelsport ohne Bedeutung.

**Verbreitung:** Südspanien ostwärts durch die Türkei.

**Lebensraum:** Flache Bäche, Seen und brackige Lagunen an der Küste.

**Nahrung:** Wirbellose des Freiwassers (z. B. Krebstiere und Puppen) sowie kleine Fischbrut.

**Größe:** Maximal 8 cm; ausnahmsweise bis 15 cm.

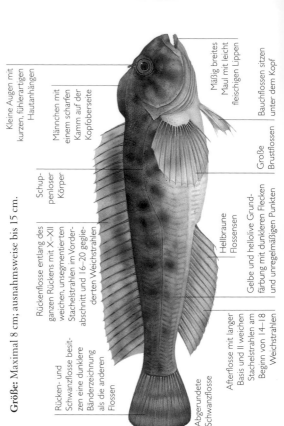

Kleine Augen mit kurzen, fühlerartigen Hautanhängen

Männchen mit einem scharfen Kamm auf der Kopfoberseite

Schuppenloser Körper

Rückenflosse entlang des ganzen Rückens mit X–XII weichen, unsegmentierten Stachelstrahlen im Vorderabschnitt und 16–20 gegliederten Weichstrahlen

Rücken- und Schwanzflosse besitzen eine dunklere Bänderzeichnung als die anderen Flossen

Abgerundete Schwanzflosse

Afterflosse mit langer Basis und II weichen Stachelstrahlen am Beginn von 14–18 Weichstrahlen

Hellbraune Flossensäume

Gelbe und helloliv Grundfärbung mit dunkleren Flecken und unregelmäßigen Punkten

Mäßig breites Maul mit leicht fleischigen Lippen

Bauchflossen sitzen unter dem Kopf

Große Brustflossen

# Strandgrundel *Pomatoschistus microps*

Mindestens 16 Spezies von Strandgrundeln können im Meer, im Brack- und Süßwasser entlang der Küste vorkommen. Oberflächlich sehr ähnlich im Aussehen, halten alle die Beckenflossen nach vorne, um einen Saugnapf zu bilden, mit dem sie sich auf der Oberseite von Felsblöcken festheften. Fischereilich und im Angelsport ohne Bedeutung.

**Verbreitung:** Küstennah, von Südnorwegen westlich um die Britischen Inseln, im Süden bis nach Gibraltar.

**Lebensraum:** Meer, Flussmündungen und Brackwassertümpel.

**Nahrung:** Kleine Krebstiere und im Brackwasser Mückenlarven und -puppen; auch Zooplankton.

**Größe:** Durchschnittliche Länge 5–6 cm; ausnahmsweise auch länger.

Breiter Kopf und stumpfe Schnauze

Vordere Rückenflosse weist auffallende schwarze Punkte und V-VI Stachelstrahlen auf

Große Augen, die von der Kopfoberseite vorstehen

Breites Maul mit fleischigen Lippen

Bauchflossen bilden vorwärts und zusammengehalten eine Saugscheibe

Abgeflachter Körper zwischen Bauchflossen und After

Schuppenzahl/mittlere Körperlängslinie: 39–52

Hintere Rückenflosse mit 8–10 Weichstrahlen

Dunkelbraune Marmorierung auf dem Rücken und den Seiten; die Reihe unregelmäßiger Flecken weist auf ein adultes Männchen hin

Afterflosse mit 8–10 Weichstrahlen

Dünner Schwanzstiel mit großer fächerförmiger Schwanzflosse

Grundfärbung hellgrau bis gelbbraun oder ein warmes sandfarbenes Gelbbraun; auf dem Rücken dunkler als am Bauch

# Grundeln des Mittelmeers und des Schwarzen Meers

Die 15 hier aufgelisteten Grundeln leben rund ums Mittelmeer und an den Küsten des Schwarzen Meers, können aber auch im Süß- oder Brackwasser angetroffen werden. Eine genaue Untersuchung ist notwendig, um ein Exemplar seiner Art zuordnen zu können. Teilweise wichtige Speisefische; teilweise gern geangelt.

**Verbreitung:** Küstennah; von Gibraltar und Südspanien ostwärts und rund ums Schwarze Meer.

**Lebensraum:** Seichte küstennahe Gewässer und brackige Flussmündungen und Lagunen.

**Nahrung:** Alle Spezies fressen Wirbellose einschließlich Zooplankton, kleine Krebstiere, kleine Mollusken und sehr kleine Fischbrut.

**Größe:** Die Weibchen von *Economidichthys trichinis* erreichen eine maximale Länge von 2 cm, die meisten anderen 4–6 cm, die Kröten-Grundel (Europas größte Grundel) 30–35 cm.

**Arten:** Canestrini-Grundel (*Pomatoschistus canestrini*, siehe Abbildung), Orsini-Grundel (*Knipowitschia punctatissima*), Kaukasische Grundel (*K. caucasica*), Langschwanz-Grundel (*K. longecaudata*), die Art *K. thessala*, Panizza-Grundel (*Padogobius panizzai*), Martens-Grundel (*P. martensii*), Italienische Grundel (*P. nigricans*), Fluss-Grundel (*Neogobius fluviatilis*), Schwarzmund-Grundel (*N. melanostomus*), Marmorierte Grundel (*Proterorhinus marmoratus*), Kröten-Grundel (*Mesogobius batrachocephalus*), Stern-Kaulquappen-Grundel (*Benthophilus stellatus*) sowie die Arten *Economidichthys pygmaeus* und *E. trichonis*.

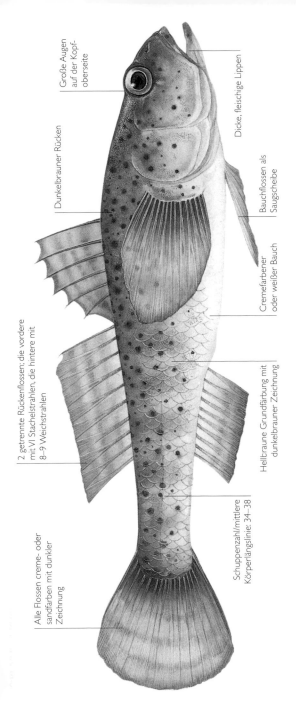

Große Augen auf der Kopfoberseite

Dicke, fleischige Lippen

Dunkelbrauner Rücken

Bauchflossen als Saugscheibe

Cremefarbener oder weißer Bauch

2 getrennte Rückenflossen; die vordere mit VI Stachelstrahlen, die hintere mit 8–9 Weichstrahlen

Hellbraune Grundfärbung mit dunkelbrauner Zeichnung

Alle Flossen creme- oder sandfarben mit dunkler Zeichnung

Schuppenzahl/mittlere Körperlängslinie: 34–38

# Flunder *Platichthys flesus*

Obwohl die seichten Meere um den europäischen Kontinent einige Plattfischarten aufweisen, dringt nur die Flunder ins Süßwasser vor. Manchmal tritt sie weit flussaufwärts in kleineren Flüssen und in Seen auf. Ein geschätzter Speisefisch und beliebter Anglerfisch.

**Verbreitung:** Fast an der gesamten europäischen Küste, von Norwegens Nordkap südwärts durch das Mittelmeer, aber nicht in Island.

**Lebensraum:** Hauptsächlich Flussmündungen, aber auch Süßwasserflüsse und Seen.

**Nahrung:** Überwiegend Bodentiere (Würmer, Mollusken, Krebstiere); in Flussmündungen werden Garnelen außerhalb des Bodens aufgenommen.

**Größe:** Maximallänge meist 30 cm, einige erreichen ein Gewicht von über 1,2 kg.

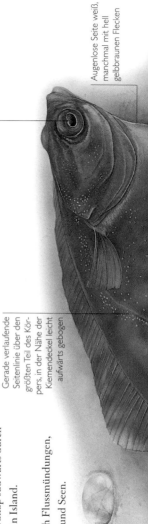

Beide Augen sitzen gewöhnlich auf der rechten Körperseite

Augenlose Seite weiß, manchmal mit hell gelbbraunen Flecken

Gerade verlaufende Seitenlinie über den größten Teil des Körpers, in der Nähe der Kiemendeckel leicht aufwärts gebogen

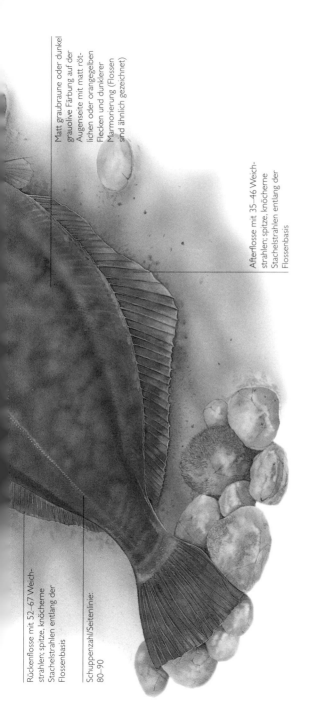

Rückenflosse mit 52–67 Weich-
strahlen; spitze, knöcherne
Stachelstrahlen entlang der
Flossenbasis

Schuppenzahl/Seitenlinie:
80–90

Matt graubraune oder dunkel
grauolive Färbung auf der
Augenseite mit matt röt-
lichen oder orangegelben
Flecken und dunklerer
Marmorierung (Flossen
sind ähnlich gezeichnet)

Afterflosse mit 35–46 Weich-
strahlen; spitze, knöcherne
Stachelstrahlen entlang der
Flossenbasis

# Glossar

**Anadrome Fischart:** Zum Laichen flussaufwärts (vom Meer ins Süßwasser) ziehende Fischarten.

**Coregoniden:** Familie der Renken (Coregonidae).

**Cypriniden:** Familie der Karpfenfische (Cyprinidae)

**Detritus:** Aus Tier- und Pflanzenresten bestehende Schweb- und Sinkstoffe in Gewässern.

**Endständiges Maul:** Beide Kiefer von gleicher Länge.

**Fennoskandia:** Umfasst Skandinavien (Norwegen, Schweden) und Finnland.

**Fettflosse:** Kleine Flosse zwischen Rücken- und Schwanzflosse u.a. bei den Salmoniden und Coregoniden.

**Fettlider, Fettmembran:** Membran aus Fettgewebe zum Schutz des

**Hybrid:** Kreuzungsprodukt, also Nachkomme, von 2 verschiedenen Gattungen, Arten oder Rassen.

**Katadrome Fischart:** Zum Laichen flussabwärts (vom Süßwasser ins Meer) ziehende Fischarten.

**Kiel:** Deutlicher Grat bei einigen Fischarten (z. B. Rotfeder) an der Bauchunterseite.

**Kiemenreusendornen:** Fortsätze auf der Innenseite der Kiemenbögen. Sie dienen dem Filtrieren von Nahrungsorganismen aus dem Wasser.

**Larve:** Entwicklungsstadium; Jugendformen u. a. bei Insekten, die noch nicht geschlechtsreif sind.

**Nymphe:** Entwicklungsstadium; Jugendform von Insekten (u.a. Maifliegen, Steinfliegen), vergleichbar mit der Larve.

**Oberständiges Maul:** Unterkiefer länger als Oberkiefer.

**Pelagial:** Lebensraum des offenen Meeres und des freien Wassers von

**Pelagisch:** Dem Pelagial zuzuordnen.

**Plankton:** Frei im Wasser schwebende (passiv treibende) Lebewesen. Zooplankton = tierische Organismen, Phytoplankton = pflanzliche Organismen.

**Puppe:** Letztes Entwicklungsstadium bei Insekten vor dem Schlupf.

**Salmoniden:** Familie der Lachse (Salmonidae).

**Schlundzähne:** Bei den Cypriniden in 1–3 Reihen stehende zahnartige Gebilde (u.a. gesägt, spitz oder breitflächig), die auf dem 5. Kiemenbogen sitzen. Sie dienen dem Zerquetschen und Zerkleinern der Nahrung.

**Seitenlinie:** Reihe durchbohrter oder gekerbter Schuppen entlang der Körperseiten. Darunter stehen die Sinneszellen des Seitenlinienorgans. Die Seitenlinie kann unterschiedlich ausgebildet sein oder auch fehlen.

**Seitenlinienorgan:** Sinnessystem bei Fischen und den wasserlebenden Stadien bei Amphibien. Damit sind Fische in der Lage, Wasserströmungen, Hindernisse, Ufer- und Bodennähe sowie andere Fische wahrzunehmen.

**Smolt:** Jugendstadium bei einigen Salmoniden (Lachs, Meerforelle, Wandersaibling).

**Stachelstrahlen:** Ungegliederte, verknöcherte Hartstrahlen, die die Flossen einer Reihe von Knochenfischen stützen.

**Stationäre Fischart:** Ortstreue, keine großen Wanderbewegungen durchführende Fischart.

**Unterständiges Maul:** Oberkiefer länger als Unterkiefer.

**Weichstrahlen (Gliederstrahlen):** Gegliederte, schwach verknöcherte und damit weiche, biegsame Flossenstrahlen. Sie können ungefiedert (oberes Ende spitz) oder gefiedert (längs geteilt) sein.

# Register

**Fett** gesetzte Seitenzahlen verweisen auf Hauptbeschreibungen mit Abbildung.

## A

Aal 42
*Abramis ballerus* **104**
*A. brama* **102**
*A. sapa* **106**
*Acipenser guldenstaedti* 32
*A. naccarii* 32
*A. nudiventris* 32
*A. ruthenus* **34**
*A. stellatus* 32
*A. sturio* 32
Adriatischer Hasel **84**
Adriatischer Lachs **59**
Adriatischer Stör 32
Aland **80**
*Alburnoides bipunctatus* **115**

*Alburnus albidus* 112
*A. alburnus* **112**
*Alosa alosa* **38**
*A. caspia* 40
*A. fallax* **36**
*A. macedonica* 40
*A. maeotica* 40
*A. pontica* **40**
Amerikanischer Hundsfisch 46
Amerikanischer Seesaibling 62
*Anguilla anguilla* **42**
Aristoteleswels **156**
Äsche **68**
*Aspius aspius* **116**
Atlantischer Lachs **48**
*Aulopyge hügeli* **129**

## B

Bachforelle **50**
Bachneunauge **28**

Bachsaibling **62**
Bachschmerle **148**
Balkan-Steinbeißer **152**
Balons Kaulbarsch **173**
Barbe **118**
Barbengründling **129**
*Barbus barbus* **118**
*B. bocagei* 118
*B. comiza* 118
*B. cyclolepis* **122**
*B. euboicus* 122
*B. graecus* 122
*B. meridionalis* **120**
*B. peloponnesius* 120
*B. plebejus* 118
*Benthophilus stellatus* 182
Bitterling **96**
Blaubandbärbling **144**
Blaufelchen **64**
*Blennius fluviatilis* **180**
*Blicca bjoerkna* **108**
Bobyrez 78

Brachsen **102**
Buckellachs **58**

## C

Canestrini-Grundel **182**
*Carassius auratus* **76**
*C. auratus gibelio* **76**
*C. carassius* **74**
*Chalcalburnus chalcoides* **114**
*Chondrostoma genei* 132
*C. kneri* 134
*C. nasus* **132**
*C. phoxinus* **136**
*C. polylepis* 132
*C. soetta* 132
*C. toxostoma* **134**
*Clupeonella cultriventris* 36
*C. delicatula* 36
*Cobitis aurata* 152
*C. calderoni* 152
*C. elongata* 152
*C. maroccana* 152

*C. taenia* **152**
*Coregonus albula* **66**
*C. lavaretus* **64**
*Cottus gobio* **164**
*Ctenopharyngodon idella* **138**
*Cyprinus carpio* **72**

## D

Dalmatinischer Näsling 134
Döbel **78**
Don-Kaulbarsch 172
Donauneunauge **30**
Dorngrundel **152**
Dreistachliger Stichling **160**

## E

*Economidichthys pygmaeus* 182
*E. trichonis* 182
Elritze **98**

Elritzennäsling **136**
Escalo **93**
*Esox lucius* **44**
Euboca-Barbe **122**
*Eudontomyzon danfordi* **30**
*E. hellenicus* **30**
*E. mariae* **30**
*E. vladykovi* **30**

**F**

Finte **36**
Flunder **184**
Fluss-Grundel **182**
Flussbarsch **168**
Flussneunauge **26**
Forellenbarsch **166**

**G**

*Gasterosteus aculeatus* **160**
Giebel **76**
Glattdick **32**
*Gobio albipinnatus* **126**
*G. gobio* **124**
*G. kessleri* **127**
*G. uranoscopus* **128**

Gold-Steinbeißer **152**
Goldfisch **76**
Graskarpfen **138**
Griechische Barbe **122**
Groppe **164**
Groppenbarsch **177**
Gründling **124**
Güster **108**
*Gymnocephalus acerina* **172**
*G. baloni* **173**
*G. cernuus* **170**
*G. schraetzer* **172**

**H**

Hasel **82**
Hausen **32**
Hecht **44**
Huchen **54**
*Hucho hucho* **54**
Hundsbarbe **120**
Hundsfisch **46**
*Huso huso* **32**
*Hypophthalmichthys molitrix* **140**
*H. nobilis* **142**

**I**

Iberische Barbe **118**
Iberischer Näsling **132**
*Ictalurus melas* **157**
*I. nebulosus* **157**
Italienische Grundel **182**
Italienische Nase **132**

**K**

Karausche **74**
Karpfen **72**
Kaspi-Maifisch **40**
Kaspische Sprotte **36**
Kaukasische Grundel **182**
Kaulbarsch **170**
Kerchen-Maifisch **40**
Kesslers Gründling **127**
Kleine Maräne **66**
*Knipowitschia caucasica* **182**
*K. longecaudata* **182**
*K. punctatissima* **182**
*K. thessala* **182**
Kröten-Grundel **182**

**L**

*Lampetra fluviatilis* **26**
*L. japonica* **26**
*L. planeri* **28**
*L. zanandreai* **28**
Langschwanz-Grundel **182**
Lau **132**
*Lepomis gibbosus* **167**
*Leucaspius delineatus* **88**
*Leuciscus borysthenicus* **78**
*L. cephalus* **78**
*L. idus* **80**
*L. leuciscus* **82**
*L. souffia agassizi* **85**
*L. svallise* **84**
*Lota lota* **158**

**M**

Maifisch **38**
Marmorierte Grundel **182**
Marmorkarpfen **142**
Martens-Grundel **182**
Meerforelle **52**
Meerneunauge **24**

*Mesogobius batrachocephalus* **182**
*Micropterus salmoides* **166**
*Misgurnus fossilis* **150**
Moderlieschen **88**

**N**

Nase **132**
*Neogobius fluviatilis* **182**
*N. melanostomus* **182**
Neunstachliger Stichling **162**
*Noemacheilus barbatulus* **148**

**O**

*Oncorhynchus gorbuscha* **58**
*O. mykiss* **56**
Orfe **80**
Orsini-Grundel **182**
*Osmerus eperlanus* **70**

**P**

*Padogobius martensii* **182**
*P. nigricans* **182**
*P. panizzai* **182**

Panizza-Grundel 182
*Pelecus cultratus* 86
*Perca fluviatilis* 168
*Percarina demidoffi* 173
*Petromyzon marinus* 24
*Phoxinellus hispanicus* 101
*Phoxinus percnurus* 100
*P. phoxinus* 98
Pigo 92
*Platichthys flesus* 184
*Pomatoschistus canestrini* 182
*P. microps* 181
Portugiesische Barbe 118
*Proterorhinus marmoratus* 182
*Pseudorasbora parva* 144
*Pungitius pungitius* 162

**Q**

Quappe 158

**R**

Rapfen 116
Regenbogenforelle 56
*Rhodeus sericeus amarus* 96

Rhonestreber 176
*Romanichthys valsanicola* 177
Rotauge 90
Rotfeder 94
Russischer Stör 32
*Rutilus arcasii* 93
*R. pigus* 92
*R. rutilus* 90
Rutte 158

**S**

*Sabanejewia larvata* 152
*S. romanica* 152
*Salmo salar* 48
*S. trutta* 50
*S. trutta trutta* 52
*Salmothymus obtusirostris* 59
*Salvelinus alpinus* 60
*S. fontinalis* 62
*S. namaycush* 62
*Sander lucioperca* 174
*S. volgensis* 174
*Scardinius erythrophthalmus* 94
Schemaja 114

Schlammpeitzger 150
Schleie 130
Schneider 115
Schrätzer 172
Schwarzmeer-Maifisch 40
Schwarzmund-Grundel 182
Semling 120
Sibirisches Neunauge 26
Sichling 86
Silberkarpfen 140
*Silaris aristotelis* 156
*S. glanis* 154
Sonnenbarsch 167
Spanische Elritze 101
Steinbeißer 152
Steingressling 128
Sterlet 34
Stern-Kaulquappen-Grundel 182
Sternhausen 32
Stint 70
Stör 32
Strandgrundel 181
Streber 178

Strömer 85
Südbarbe 118
Südwesteuropäischer Näs-
ling 134
Sumpfelritze 100
Süßwasser-Schleimfisch 180

**T**

Thraker Barbe 122
*Thymallus thymallus* 68
*Tinca tinca* 130

**U**

Ukelei 112
*Umbra krameri* 46
*U. pygmaea* 46

**V**

*Vimba vimba* 110
Volvi-Maifisch 40

**W**

Waller 154
Wandersaibling 60

Weißer Ukelei 112
Weißflossiger Gründling 126
Wels 154
Wolga-Zander 174

**Z**

Zährte 110
Zanandreas Lamprete 28
Zander 174
Ziege 86
Zingel 179
*Zingel asper* 176
*Z. streber* 178
*Z. zingel* 179
Zobel 106
Zope 104
Zwergwels 157

Bibliographische Information der
Deutschen Bibliothek

Die Deutsche Bibliothek verzeichnet diese Publikation in der Deutschen Nationalbibliographie; detaillierte bibliographische Daten sind im Internet über http://dnb.ddb.de abrufbar.

BLV Buchverlag GmbH & Co. KG
80797 München

Titel der englischen Originalausgabe:
The pocket guide to freshwater fish
of Britain and Europe

First published in 2001
by Mitchell Beazley
an imprint of Octopus Publishing Group Ltd.
2–4 Heron Quays, Docklands, London E14 4JP

Text copyright
© Octopus Publishing Group Ltd. 2001

Design copyright
© Octopus Publishing Group Ltd. 2001

Deutschsprachige Ausgabe:
© 2007 BLV Buchverlag GmbH & Co. KG,
München

Bildnachweis:
Alle Fisch-Illustrationen von Stuart Carter, außer:
Jürgen Scholz: S. 53, 139, 141, 143, 145, 157, 167
Lebensraum-Illustrationen von Rudi Vizi

Umschlaggestaltung:
Sabine Fuchs, fuchs_design, Ottobrunn

Umschlagillustrationen:
Stuart Carter

Übersetzung ins Deutsche:
Dr. Harald Gebhardt

Lektorat:
Dr. Friedrich Kögel, Dr. Eva Dempewolf

Herstellung:
Angelika Tröger

Layout und Satz:
Uhl + Massopust GmbH, Aalen

Gedruckt auf chlorfrei gebleichtem Papier

Printed in Germany
ISBN 978-3-8354-0157-0

# EINE KLEINE AUSWAHL AUS UNSERem GROSSEN PROGRAMM

*BLV Angelpraxis*
Hans Eiber
**Die erfolgreichsten Anglertricks**
Über 150 Tricks, Tipps und Kniffe für Angelsituationen an Bach, Fluss und See; kompaktes Praxiswissen aus dem Erfahrungsschatz internationaler Angel-experten mit vielen instruktiven Abbildungen.
*ISBN 978-3-405-16327-3*

Hans Eiber
**Angeln – so geht's**
Der Kompaktkurs für Einsteiger: Ausrüstung, Steckbriefe der 30 beliebtesten Angelfischarten im Süß- und Salzwasser; Angelmethoden für Bach, Fluss, See und Küste mit Praxistipps.
*ISBN 978-3-405-16648-9*

*BLV Angelpraxis*
Hans Eiber
**Die besten Angelköder**
Kompakt, praxisgerecht und umfassend beschrieben: die wichtigsten Natur- und Kunstköder – Beschaffung, Zubereitung und gezielter Einsatz für die in Europa relevanten Angelfischarten.
*ISBN 978-3-405-16991-6*

Hans Eiber
**Angelwissen auf einen Blick**
Handlich und übersichtlich – ideal auch für unterwegs: Kompaktwissen zu allen wichtigen Themenbereichen rund ums Angeln.
*ISBN 978-3-405-16178-1*